Long week-end

# Joyce Maynard

# Long week-end

*roman*

Traduit de l'anglais (États-Unis)
par Françoise Adelstain

Philippe Rey

Titre original : *Labor Day*
(William Morrow, an Imprint of HarperCollins Publishers,
New York, 2009)
© 2009, Joyce Maynard

Pour la traduction française
© 2010, Éditions Philippe Rey
15, rue de la Banque - 75002 Paris

www.philippe-rey.fr

*Pour mes fils, Charlie et Wilson Bethel, qui n'ont cessé de m'instruire sur le cœur des garçons de treize ans au travers de leur propre et infiniment adorable exemple.*

# 1

Il n'est plus resté que nous deux, ma mère et moi, après le départ de mon père. Et il avait beau dire que je devais aussi considérer comme membres de ma famille le bébé qu'il venait d'avoir avec sa nouvelle femme Marjorie, plus Richard, le fils de Marjorie, qui avait six mois de moins que moi et qui pourtant me dominait dans tous les sports, ma famille, c'était ma mère, Adele, et moi, point barre. Plutôt y admettre le hamster Joe que ce bébé, Chloe.

Quand mon père venait me chercher le samedi soir pour m'emmener dîner avec eux chez Friendly, il voulait toujours que je m'asseye à l'arrière de la voiture à côté d'elle. Ensuite, dans le box où nous mangions, il sortait un paquet de cartes de baseball de sa poche et les posait sur la table pour les partager entre Richard et moi. Je donnais toujours les miennes à Richard. Pourquoi pas? Le baseball, c'était ma plaie. Chaque fois que le prof de gym disait, OK Henry, tu joues avec les Bleus, tous les autres garçons de l'équipe râlaient.

En général, ma mère ne parlait jamais de mon père, ni de la femme à laquelle il était marié maintenant, ni du fils de cette femme, et non plus du bébé, mais un jour que, par erreur, j'avais laissé sur la table une photo qu'il m'avait donnée, où nous figurions tous les cinq – c'était l'année d'avant, quand j'étais allé à Disney World avec eux –, elle l'a étudiée pendant au moins une minute. Là, dans la cuisine, tenant la photo dans sa petite main pâle, son long cou élégant légèrement penché sur le côté, comme si l'image qu'elle regardait contenait un grand et troublant mystère, pourtant il y avait juste nous cinq, serrés comme des sardines dans une de ces tasses à thé tournantes. À la place de ton père, je m'inquiéterais de ce que le bébé n'a pas les deux yeux pareils, dit-elle. Ce n'est peut-être qu'un retard de croissance et pas une véritable arriération, mais si j'étais lui je lui ferais passer des tests. Est-ce qu'elle te paraît retardée, Henry ?

Peut-être un peu.

Je le savais. Elle ne te ressemble d'ailleurs absolument pas.

Je connaissais parfaitement mon rôle. Je savais qui était ma vraie famille. Elle.

Notre sortie ce jour-là était inhabituelle. Ma mère, en général, n'allait nulle part. Mais j'avais besoin d'un pantalon pour la rentrée des classes.

Admettons, dit-elle. Va pour Pricemart. Comme si j'avais grandi d'un centimètre pendant l'été juste pour l'embêter. Comme si elle n'avait déjà pas suffisamment d'ennuis.

La voiture avait démarré dès qu'elle avait tourné la clef de contact, ce qui était surprenant vu que ça devait faire un mois que nous ne nous en étions pas servis. Elle avait conduit lentement, à son habitude, on aurait dit qu'elle roulait en plein brouillard ou sur du verglas, sauf que c'était l'été – la fin août, le jeudi précédant le grand week-end du Labor Day – et que le soleil brillait.

Ç'avait été un long été. Au début, j'avais espéré que nous irions à la mer, juste pour un jour, à un moment quelconque des vacances, mais ma mère avait déclaré que la circulation était dantesque sur l'autoroute, sans compter que j'attraperais probablement des coups de soleil, puisque j'avais son teint – entendez celui de mon père.

Tout le mois de juin, de juillet, et désormais quasiment tout le mois d'août, j'avais rêvé qu'il finirait par se passer quelque chose de différent. Autre chose que les sorties avec mon père, pour aller dîner chez Friendly ou jouer au bowling, ou même le voyage dans les White Mountains avec Marjorie, Richard et le bébé pour visiter une fabrique de paniers, et cet endroit où Marjorie voulait qu'on s'arrête, parce qu'ils fabriquaient des bougies au parfum de canneberge, de citron ou de gingembre.

En dehors de ça, j'avais beaucoup regardé la télévision. Ma mère m'avait appris à faire des réussites, et quand j'en avais marre, je me mettais à récurer des coins de la maison oubliés depuis belle lurette, d'où le dollar et demi que j'avais gagné et avec quoi je brûlais de m'acheter un nouveau cahier de jeux. De nos jours, même un gosse aussi bizarre que moi jouerait sur sa Play Station, mais à l'époque seules certaines familles possédaient une console Nintendo. Nous n'en faisions pas partie.

Je n'arrêtais pas de penser aux filles, mais il ne se passait rien dans ma vie qui puisse les faire sortir du domaine des idées.

Je venais d'avoir treize ans. Je voulais savoir tout ce qui concerne les femmes et leur corps, ce que font les gens quand ils sont ensemble – les gens de sexe opposé – et comment me débrouiller pour me dégoter une petite amie avant mes quarante ans. Je me posais des tas de questions sur le sexe, que je refusais catégoriquement de discuter avec ma mère, même s'il lui arrivait parfois de les aborder. Par exemple ce jour-là, en voiture. J'imagine que ton corps est en train de changer, dit-elle en agrippant le volant.

Je ne bronchai pas.

Elle conduisait les yeux fixés droit devant, genre Luke Skywalker, au contrôle de son X-wing jet. En route vers une autre galaxie. Le centre commercial.

À peine arrivés, nous avons foncé sur les rayons Garçon, pris le pantalon, plus un paquet de caleçons.

J'imagine qu'il te faut aussi des chaussures. Cela dit sur le ton qu'elle prenait toujours dans des endroits de ce genre, comme si toute l'affaire n'était qu'un mauvais film, mais, puisqu'on avait payé notre place, pas question de partir avant la fin.

Mes vieilles me vont encore. J'avais dans l'idée que, si on achetait des chaussures neuves maintenant, il se passerait un sacré bout de temps avant qu'on refasse une expédition ici. Donc il fallait garder les chaussures pour plus tard. À la rentrée des classes, j'aurais besoin de cahiers et de stylos, d'un rapporteur et d'une calculatrice. Alors, quand je mettrais la question des chaussures sur le tapis, et qu'elle me dirait pourquoi tu as refusé d'en acheter la dernière fois qu'on est allés faire des courses ?, je lui montrerais la liste des articles dont j'avais besoin et elle serait obligée de céder.

J'ai laissé ma mère avec le chariot, et je me suis dirigé vers le rayon des journaux et des livres de poche. J'ai feuilleté un numéro de *Mad*, en réalité ce que je voulais c'était *Playboy*, mais impossible : le magazine était sous cellophane.

Je voyais ma mère longer les travées du magasin. Lentement, comme une feuille d'arbre au fil d'un cours d'eau, elle dérivait. Plus tard je découvrirais ce qu'elle avait ajouté dans le chariot : un de ces coussins qu'on pose sur le lit et qui permettent de se redresser pour lire la nuit ; un ventilateur portatif à piles, mais pas les piles ; un animal en céramique – un hérisson, ou quelque chose du même genre – aux parois rainées dans lesquelles on éparpille des graines qu'on maintient humides jusqu'à ce que, plus tard, elles germent et que l'animal soit couvert de feuilles. Un vrai animal domestique, disait-elle, sauf qu'on ne s'embête pas à lui nettoyer sa cage.

De la nourriture pour le hamster, lui avais-je dit. Nous en manquions aussi.

J'étais plongé dans un numéro de *Cosmopolitan* – un article annoncé en couverture intitulé : « Ce que les femmes voudraient que les hommes sachent et qu'ils ignorent » – quand l'homme se pencha vers moi. Il était planté devant le présentoir des magazines de tricot et de jardinage. A priori, on avait du mal à imaginer qu'un type ayant cette allure pouvait s'intéresser à ce genre de trucs. Il voulait me parler.

Je me demandais si tu voudrais me donner un coup de main.

C'est alors que je l'ai vraiment regardé. Il était grand. Avec des muscles apparents sur le cou et la partie des bras que ne couvrait pas la chemise. Une de ces personnes dont le visage révèle ce que serait le crâne sans la peau. Il portait la chemise des employés de Pricemart – rouge, avec le nom inscrit sur la poche. Vinnie. Et puis, j'ai vu que sa jambe saignait, au point que le sang avait traversé le tissu du pantalon et imprégnait la chaussure, ou plutôt la savate.

Vous saignez, ai-je dit.

Je suis tombé par la fenêtre, a-t-il répondu. Sur le ton que vous prendriez pour dire que vous avez été piqué par un moustique. C'est peut-être pour ça que, sur le moment, je n'ai pas trouvé cette histoire particulièrement bizarre. Ou peut-être parce que, à l'époque, tout me paraissait tellement bizarre.

J'ai dit : il faudrait demander du secours. Ma mère n'était probablement pas la personne idéale, mais il y avait plein de clients dans ce magasin, plus qualifiés qu'elle. Ça me faisait chaud au cœur qu'il m'ait choisi, moi, parmi tous les autres. En général, ça ne se passait pas comme ça.

Je ne voudrais gêner personne, a-t-il répliqué. Il y a des tas de gens que la vue du sang effraie. Ils s'imaginent qu'ils vont attraper un virus quelconque, tu comprends.

Je comprenais, à cause d'une réunion d'élèves qu'on avait eue au printemps. À l'époque où tout ce que les gens savaient, c'était : ne touchez pas le sang de personnes inconnues, ça pourrait vous tuer.

Tu es venu avec cette femme, là-bas, n'est-ce pas? Il regardait dans la direction de ma mère, figée, dans la section jardinage, devant un tuyau d'arrosage. Nous n'en avions pas, mais pas non plus de jardin digne de ce nom.

Jolie femme, dit-il.

C'est ma mère.

Je voulais te demander : tu crois qu'elle accepterait de me conduire quelque part? Je ferais attention de ne pas tacher le siège. Elle m'a l'air du genre à aider quelqu'un.

On pouvait ou non le déplorer, mais c'était exact.

Ou voulez-vous aller? Je réfléchissais qu'ils manquaient vraiment d'égards pour leurs employés dans ce magasin, si chaque fois qu'il y en avait un de blessé, il devait demander aux clients de l'aider.

Chez toi?

Apparemment une simple question, mais qu'il me posait en me regardant à la manière d'un des personnages de *Silver Surfer*, doté de pouvoirs surnaturels. Il a mis la main sur mon épaule, qu'il a serrée.

Réellement, mon garçon, j'ai besoin qu'on m'emmène quelque part.

À ce moment-là, j'ai remarqué le mouvement de sa mâchoire, celui des gens qui souffrent mais essaient de ne pas le montrer – ils serrent les dents comme s'ils rongeaient un clou. Sur le pantalon bleu marine, le sang ne se voyait pas trop. Et malgré la climatisation, il transpirait beaucoup. Et je découvrais maintenant le filet de sang qui lui coulait sur le côté de la tête et qui se coagulait dans les cheveux.

Au rayon sport, on bradait des casquettes de baseball. Il en prit une, ce qui dissimula bien la blessure. Il boitait aussi, mais ça arrive à des tas de gens. Il attrapa au passage un gilet de peau sur son présentoir, l'enfila par-dessus sa chemise Pricemart. En le voyant arracher l'étiquette, je compris qu'il n'avait pas l'intention de le payer. C'était peut-être une sorte de politique du magasin pour les employés.

Juste un instant, dit-il. Il me manque encore une chose. Attends-moi ici.

On ne pouvait jamais prévoir les réactions de ma mère. Parfois un type venait, qui vendait au porte à porte des brochures religieuses, et elle l'envoyait balader en hurlant, un autre jour, en rentrant de l'école, je trouvais un homme assis sur le canapé en train de prendre le café avec elle.

Voici Mr Jenkins, m'avait-elle dit. Il veut nous parler d'un orphelinat en Ouganda pour lequel il récolte de l'argent, où les enfants ne mangent qu'une fois par jour et n'ont pas les moyens de s'acheter des crayons. Pour douze dollars par mois, nous pourrions parrainer un petit garçon, Arak. Ce serait ton correspondant. Ton frère en quelque sorte.

D'après mon père, j'avais déjà un frère, mais ma mère et moi nous savions que le fils de Marjorie ne comptait pas.

Génial, dis-je. Arak. Elle remplit le chèque, Mr Jenkins nous donna une photo – floue, parce que c'était juste une photocopie. Elle la posa sur le réfrigérateur.

Il y avait eu aussi le cas de cette femme qui s'était égarée dans notre cour, en chemise de nuit. Elle était très âgée et ne savait plus où elle habitait. Elle n'arrêtait pas de répéter qu'elle cherchait son fils.

Ma mère la fit entrer, lui offrit un café. Je sais comme les choses paraissent embrouillées parfois, lui dit-elle. Nous allons vous aider à trouver la solution.

En de telles occasions, ma mère assumait ses responsabilités, agissait en personne normale, j'étais content. Après le café avec un toast, nous avons installé la vieille femme à l'avant de la voiture – à la réflexion, ce dut être la dernière fois, jusqu'à ce jour dont je vous parle, que ma mère prit la voiture – et nous avons sillonné le voisinage un bon bout de temps.

Dites-moi seulement si un détail vous paraît familier, Betty, disait ma mère.

Pour le coup, sa façon de conduire si lentement avait un sens, parce qu'un homme nous a remarqués, a remarqué Betty sur le siège avant, et nous a hélés.

On devenait fous, on ne savait plus où la chercher, a-t-il dit quand ma mère a baissé la vitre. Je vous suis infiniment reconnaissant de vous être occupée d'elle.

Elle va bien. Ce fut très agréable. J'espère que vous nous la ramènerez bientôt.

J'aime beaucoup cette fille, avait affirmé Betty, quand son fils avait ouvert la portière et détaché la ceinture de sécurité. C'est exactement le genre de fille que tu aurais dû épouser, Eddie. Pas cette salope.

J'avais scruté le visage de l'homme à ce moment-là. Certainement pas ce qu'on appelle un bel homme, mais le genre du type gentil. Un instant, j'ai souhaité trouver le moyen de lui dire que ma mère n'était plus mariée à personne. Qu'on n'était que tous les deux, elle et moi. Qu'il pouvait venir avec Betty, de temps en temps.

Au retour, dans la voiture, j'ai lâché : Eddie a l'air d'un chic type. Peut-être qu'il est divorcé lui aussi. On sait jamais.

Elle traînait dans le rayon quincaillerie, quand nous l'avons rattrapée. Tant que j'y suis, a-t-elle dit, je ferais bien d'acheter des ampoules.

C'était une bonne nouvelle. Le plus souvent, quand une ampoule grillait à la maison, on ne la remplaçait pas. Il faisait de plus en plus sombre à l'intérieur. Dans la cuisine, il n'en restait plus qu'une, et pas des plus puissante. La nuit, quand on voulait voir quelque chose, il fallait ouvrir la porte du réfrigérateur qui projetait un peu de lumière.

Je ne sais pas comment nous réussirons à les visser dans les douilles, j'ai du mal à atteindre le plafond, a-t-elle dit.

C'est alors que je lui ai présenté l'homme ensanglanté. Vinnie. J'ai pensé que sa haute taille serait un atout supplémentaire.

Ma mère, Adele.

Moi, c'est Frank.

Bon, il arrive assez souvent dans la vie qu'une personne ne soit pas celle que vous croyez. Question de chemise, évidemment.

Vous avez un bon fils, Adele. Il m'a proposé gentiment de me déposer quelque part. En remerciement, je pourrais peut-être vous donner un coup de main pour ces trucs.

Il indiquait les ampoules.

Et pour n'importe quoi d'autre dans la maison. Il y a peu de choses que je ne sais pas faire.

Alors elle l'a bien regardé. Malgré la casquette, on voyait des traces de sang séché sur ses joues, mais elle ne sembla pas le remarquer, ou peut-être que, si elle le remarqua, cela ne lui parut pas très important.

Nous sommes passés ensemble à la caisse. Il expliqua à ma mère qu'il voulait payer mon cahier de jeux, mais que, ses fonds étant limités pour le moment, il allait me signer une reconnaissance de dette. Il devait payer aussi la casquette de baseball, dont il arracha l'étiquette, qu'il présenta à la caissière plutôt que l'objet lui-même.

En plus de mes vêtements et du tuyau d'arrosage, du coussin et du hérisson en céramique, des ampoules et du ventilateur, ma mère avait pris une de ces raquettes en contreplaqué auxquelles un élastique rattache une balle, qu'il faut essayer de frapper le plus grand nombre de fois à la suite.

J'ai voulu te faire un petit cadeau, Henry, dit-elle.

Je n'allais pas me donner la peine de lui rappeler que j'avais cessé de jouer à ce genre de truc à six ans, mais, brusquement, Frank est intervenu. Ce qu'il faut à un garçon de son âge, c'est une vraie balle de baseball. Et, surprise : il en avait une dans sa poche.

Je suis nul au baseball, lui ai-je dit.

Peut-être que ça pourrait s'arranger. Il tripotait les coutures de la balle, qu'il fixait comme si c'était le monde entier qu'il tenait dans la main.

En sortant, Frank a piqué un de ces prospectus où le magasin annonce les promotions de la semaine et, une fois dans la voiture, il l'a étalé sur le siège. Je ne veux pas tacher de sang la garniture, Adele. Si vous permettez que je vous appelle par votre prénom.

D'autres mères lui auraient probablement posé des tas de questions. Ou refusé tout bonnement de l'emmener. Ma mère, elle, a démarré. Je me disais qu'il risquait d'avoir des problèmes avec ses patrons pour avoir quitté son boulot sans prévenir. Lui, en tout cas, ça n'avait pas l'air de l'inquiéter.

De nous trois, je semblais être le seul à m'interroger sur cette situation. Je sentais que je devais faire quelque chose, mais quoi ? Et Frank donnait une telle impression de calme et de détermination qu'on avait envie de rester avec lui. Sauf que c'était lui qui restait avec nous.

En matière de personnes, j'ai un sixième sens, expliqua-t-il à ma mère. Un seul regard autour de moi, dans ce grand magasin, et j'ai su que vous étiez celle qu'il me fallait.

Je ne vais pas vous mentir. Ma situation est difficile. Des tas de gens refuseraient d'avoir le moindre rapport avec moi. Mais mon instinct me dit que vous êtes quelqu'un de très compréhensif.

Survivre en ce monde n'est pas une partie de plaisir, a-t-il ajouté. Parfois on a besoin de s'arrêter, de simplement s'asseoir et réfléchir. Rassembler ses pensées. Ne plus bouger.

À ce moment-là, j'ai regardé ma mère. Nous roulions dans Main Street, nous longions la poste, le drugstore, la banque, la bibliothèque, mais je n'étais encore jamais passé devant ces endroits familiers en compagnie de quelqu'un comme Frank. Qui était en train de faire remarquer à ma mère que, à en juger par le bruit, ses freins étaient mal réglés. Et que, si on lui fournissait quelques outils, il serait ravi de vérifier ça pour elle.

J'essayais de deviner l'effet que de tels propos produisaient sur ma mère. Je sentais battre mon cœur et ma poitrine se serrer – quelque chose qui ressemblait à de la peur, et pourtant bizarrement agréable. Ce que j'avais éprouvé quand mon père nous avait emmenés, Richard, moi et le bébé, et Marjorie, à Disney World et que nous étions montés dans la nacelle pour une mission intergalactique – nous trois, sans Marjorie ni le bébé. J'avais

failli descendre avant que ça commence, mais les lumières s'étaient éteintes, la musique avait démarré et Richard
m'avait flanqué un coup de coude en disant : si tu dois
dégueuler, tourne-toi de l'autre côté.

Aujourd'hui, c'est mon jour de chance, dit Frank. Le
vôtre aussi, peut-être.

J'ai compris, brusquement, que les choses allaient
changer. Nous voguions dans l'Espace, maintenant, dans
le noir, le sol allait peut-être disparaître et nous ne serions
plus capables de dire où cette nacelle nous emmenait.
Peut-être qu'on reviendrait. Peut-être pas.

Si ma mère a eu le même pressentiment, elle n'en a
rien laissé paraître. Accrochée au volant, le regard fixé
droit devant elle comme d'habitude, elle nous a ramenés
à la maison.

# 2

À l'époque, nous habitions Enfield, dans le New Hampshire, le genre de bled où tout le monde sait ce que fait tout le monde. Où les gens remarquent le temps qui s'écoule entre deux passages de votre tondeuse à gazon, et, pour peu que vous repeigniez votre maison d'une autre couleur que le blanc, ne cessent d'en parler dans votre dos. Or ma mère demandait juste qu'on la laisse tranquille. Il y avait eu un temps où elle adorait se montrer sur une scène, devant un large public, mais à l'époque dont je vous parle, tout ce qu'elle voulait, c'était demeurer invisible, en tout cas le plus possible.

Une des choses qu'elle appréciait par-dessus tout dans notre maison, disait-elle, c'était sa situation, à l'extrémité de la rue, sans vis-à-vis, donnant à l'arrière sur un grand champ, qui lui-même débouchait sur des bois. Les voitures n'arrivaient pas jusque chez nous, sauf lorsque le conducteur s'était trompé et devait aller au bout pour faire demi-tour. À quelques exceptions près, du genre du type récoltant de l'argent pour son orphelinat, de prêcheurs ou de porteurs de pétition, quasiment personne ne venait nous voir, ce qui pour ma mère était une bonne chose.

Il n'en avait pas toujours été ainsi. À une époque, nous allions rendre visite à des gens et nous les invitions chez nous. De ce temps-là, ma mère n'avait gardé qu'une seule amie, et encore ne venait-elle presque plus. Evelyn.

Leur rencontre avait coïncidé avec le départ de mon père, quand ma mère avait eu l'idée d'ouvrir, à la maison, un cours de gestuelle créative pour enfants – le genre d'activité dont personne, par la suite, ne l'aurait imaginée capable. Elle commença par déposer des prospectus dans toute la ville et passer une annonce dans le journal local. Le principe, c'était que les mères amèneraient leurs enfants, que la mienne mettrait de la musique, étalerait par terre des accessoires genre écharpes et rubans, et que tout le monde danserait autour. À la fin, ils auraient droit à un goûter. Si elle arrivait à attirer suffisamment de clients, elle n'aurait plus besoin de sortir pour se chercher un boulot plus normal.

Elle se donna un mal de chien. Elle fabriqua des petits tapis pour chaque enfant, débarrassa notre living de tous ses meubles, pas de quoi s'affoler vu leur nombre, acheta une carpette censée avoir couvert le sol d'un mur à l'autre chez ses précédents propriétaires, sauf qu'ils ne l'avaient pas payée.

Je n'étais qu'un gosse à l'époque, mais je me rappelle le matin du premier cours – elle alluma des bougies dans toute la pièce et confectionna des petits gâteaux bons pour la santé, à la farine complète et avec du miel en guise de sucre. Comme je ne voulais pas suivre le cours, elle me confia le soin du tourne-disque et la surveillance des plus petits pendant qu'elle travaillerait avec les plus grands, ensuite je servirais le goûter. Nous avons répété toute la scène, elle m'a rappelé que, si l'un des tout petits demandait à aller aux toilettes, je devais l'aider, par exemple à remettre son pantalon.

Puis l'heure arriva où les clients devaient commencer d'affluer. Puis l'heure passa, et personne ne s'était montré.

Un peu plus tard, peu avant le début programmé du cours, une femme entra avec un garçon dans un fauteuil roulant. C'étaient Evelyn et son fils Barry. À sa taille, j'ai supposé que le garçon avait mon âge, sauf qu'au lieu de parler il émettait des bruits à des moments inattendus, comme s'il regardait un film que personne d'autre que lui ne pouvait voir et que brusquement ça devienne rigolo, ou bien comme si un personnage, qu'il aimait beaucoup, venait de mourir, parce qu'il se prenait la tête dans les mains – ce qui n'était pas facile étant donné que ses mains tressautaient sans arrêt, et sa tête aussi, mais pas forcément dans la même direction – et là, dans sa chaise, il lâchait des sortes de sanglots.

Evelyn avait dû penser que la gestuelle créative ferait du bien à Barry, pourtant, si vous voulez mon avis, il gesticulait déjà très créativement. Avec beaucoup d'effort, les deux femmes déposèrent Barry sur une des nattes, puis ma mère mit un disque qu'elle aimait particulièrement

– la bande-son de *Guys and Dolls* – et elle leur montra les mouvements qu'il fallait faire. Evelyn avait des dispositions, mais bouger en rythme n'était décidément pas la conception que Barry se faisait de l'existence.

Ainsi se passa le seul et unique cours qu'ait donné ma mère. Il en demeura l'amitié entre les deux femmes. Evelyn venait souvent, poussant Barry dans sa petite voiture surdimensionnée, ma mère préparait un grand pot de café, Evelyn garait Barry sous le porche de derrière, ma mère me disait d'aller jouer avec lui, pendant ce temps-là Evelyn parlait et fumait, et ma mère l'écoutait. Je captais des phrases du genre : *soutien d'enfant débile* ; *affronter ses responsabilités* ; *ma croix à porter* – en général, je décrochais.

J'essayais d'imaginer des jeux qui pourraient intéresser Barry, mais c'était un sacré défi. Un jour que j'en avais vraiment marre, l'idée m'a traversé d'essayer d'inventer un langage ressemblant au sien – juste des sons et des bruits. Je me suis planté devant sa poussette et je lui ai parlé, en m'aidant de gestes de la main, comme si je lui racontais une histoire compliquée.

Apparemment excité, il réagit en produisant plus de sons que d'habitude. Il mugissait, il hurlait, il agitait les bras d'une façon encore plus désordonnée, si bien que ma mère et Evelyn, alertées, rappliquèrent.

Qu'est-ce qu'il se passe ? demanda Evelyn. À son air, j'ai compris qu'elle était fâchée. Penchée sur Barry, elle lui lissait les cheveux.

Je suis stupéfaite que tu laisses ton fils se moquer ainsi de Barry, dit-elle à ma mère. Elle rassemblait les affaires de

Barry, raflait son paquet de cigarettes. Pour moi, tu étais la seule personne capable de comprendre.

Mais ils jouaient ensemble. Henry n'a fait aucun mal. C'est vraiment un gentil garçon.

Evelyn et Barry avaient déjà franchi la porte.

À dater de ce jour, nous ne les avons presque plus jamais vus, ce qui n'était pas une grande perte, si vous voulez mon opinion, sauf que je savais combien ma mère avait besoin d'une amie. Evelyn fut la dernière.


Un jour, un garçon de ma classe, Ryan, m'invita à passer la nuit chez lui. Il était nouveau venu dans notre ville et n'avait pas encore découvert que je n'étais pas le genre de garçon que les gens invitent chez eux, alors j'ai dit oui. Quand son père est passé me prendre, j'avais tout préparé, ma brosse à dents et un caleçon propre, pour qu'on puisse filer vite fait.

Je pense que je devrais d'abord me présenter à tes parents, dit le père de Ryan, alors que je montais déjà dans la voiture. Pour qu'ils ne s'inquiètent pas.

Mon parent. Il n'y a que maman. Et elle est d'accord.

Je vais juste passer la tête, et dire bonjour.

Je ne sais pas ce qu'elle lui a raconté, mais quand il est sorti, il avait l'air désolé pour moi. Tu peux venir à la maison quand tu veux, mon garçon, me dit-il.

Je n'y suis plus jamais retourné.

Amener Frank chez nous, c'était donc une sacrée affaire. Nous n'avions plus reçu personne depuis un an, peut-être même deux.

Vous voudrez bien excuser le désordre, dit ma mère, alors que nous approchions de la maison. Nous avons été très occupés.

Je l'ai regardée : occupés à quoi ?

Elle a ouvert la porte. Joe le hamster tournait dans sa roue. Sur la table de la cuisine, un journal vieux de plusieurs semaines. Des Post-it collés sur les meubles, avec des mots en espagnol écrits au marqueur : *Mesa. Silla. Agua. Basura.* Apprendre l'espagnol figurait au nombre des plaisirs – comme s'initier au tympanon – prévus pour l'été. Elle avait commencé dès le mois de juin à écouter les cassettes empruntées à la bibliothèque. *¿ Donde esta el baño ? ¿ Cuanto cuesta el hotel ?*

Ces cassettes étaient destinées aux voyageurs. À quoi ça rime ? lui avais-je demandé. J'aurais beaucoup mieux aimé écouter de la musique à la radio. À ma connaissance, nous n'avions pas l'intention de visiter un seul pays de langue espagnole. Le supermarché toutes les six semaines était déjà une prouesse.

On ne sait jamais ce que l'avenir nous réserve, avait-elle dit.

Et voilà qu'un événement se produisait, d'une tout autre nature. Pas besoin d'aller chercher l'aventure. L'aventure venait à nous.

Dans notre propre cuisine, avec ses murs jaunes symboles d'espoir, la dernière ampoule électrique encore en état de marche, et l'animal magique en céramique de l'année précédente, un cochon, dont les feuilles issues des graines s'étaient complètement desséchées.

Frank regarda autour de lui. Sembla trouver tout à fait naturel de pénétrer dans une cuisine où s'alignaient une cinquantaine de boîtes de soupe Campbell à la tomate, genre étalage de supermarché dans une ville fantôme, sans compter une pile tout aussi importante de boîtes de macaronis, des pots de beurre de cacahuète et de raisins secs. Les traces des marques dessinées par ma mère sur le sol l'été précédent, dans le but de m'apprendre le fox-trot et le pas de deux, se voyaient encore. L'idée étant que je pose mes pieds sur les marques en me laissant guider par elle.

C'est très important qu'un homme sache danser, avait-elle dit. Un homme qui sait danser, le monde lui appartient.

Cette cuisine est très agréable, dit Frank. Chaleureuse. Vous permettez que je m'assoie à la *mesa*?

Comment aimez-vous votre café? lui demanda-t-elle. Le sien, elle le prenait noir. J'avais parfois l'impression qu'elle ne se nourrissait que de café. La soupe et les nouilles, elle les achetait à mon intention.

Frank se plongea dans la lecture des gros titres du journal, vieux de plusieurs semaines. Personne ne semblait pressé de parler, alors j'ai décidé de briser la glace.

Comment vous êtes-vous fait mal à la jambe? lui ai-je demandé. Réservant pour plus tard la question de la tête, chaque chose en son temps.

Je vais être franc avec toi, Henry. Je m'étonnais qu'il ait saisi mon nom. Crème et sucre, merci, Adele, dit-il à ma mère.

Elle nous tournait le dos, occupée à compter les cuillerées. Lui semblait s'adresser à moi, en réalité il ne quittait
pas ma mère des yeux, et pour la première fois je me suis
représenté l'effet qu'elle pouvait faire sur quelqu'un d'autre
que son fils.

« Ta maman on croirait Ginger, dans *Gilligan's Island* »,
m'avait dit Rachel, une fille de ma classe. Nous étions en
cinquième, et ma mère avait fait une de ses rares appari-
tions à l'école pour assister aux répétitions d'un spectacle
où je tenais le rôle de Rip Van Winkle. Rachel avait élaboré
toute une théorie selon laquelle ma mère était vraiment
l'actrice qui interprétait Ginger, et que nous habitions ici
pour qu'elle puisse échapper à ses fans et au stress de
Hollywood.

Et je n'étais pas sûr de vouloir démolir cette théorie.
Elle donnait du comportement de ma mère une meilleure
explication qu'aucune autre. Quelle que fût d'ailleurs la
véritable explication.

Elle avait beau être une maman – la mienne, pas n'importe laquelle – et porter la même vieille jupe et le même
haut depuis des millions d'années, je me rendais compte
maintenant qu'on pouvait la trouver jolie. Et encore
mieux que ça. La plupart des mères qu'on voyait à l'école,
garées devant l'entrée à trois heures pile pour récupérer
leur gosse, ou accourant rapporter les devoirs qu'il avait
oubliés à la maison, avaient perdu leur ligne quelque part
en chemin, à force de faire des bébés probablement.

C'était même arrivé à Marjorie qui pourtant, rappelait toujours ma mère, était plus jeune qu'elle.

Ma mère, elle, avait gardé sa ligne. Je l'avais constaté un jour qu'elle avait enfilé, exprès pour moi, son ancien costume de danseuse. Ses jambes n'avaient pas changé, et c'était elles que Frank regardait maintenant.

Je vais être franc avec toi, répéta-t-il lentement. Elle était en train de verser l'eau sur le café. Peut-être savait-elle qu'il l'observait. Elle prenait son temps.

Pendant la minute qui a suivi il a semblé absent, parti très loin. Il donnait l'impression de regarder un film projeté sur un écran situé dans le voisinage du réfrigérateur, sur lequel était toujours apposée l'image défraîchie de mon correspondant africain, Arak, retenue par deux aimants représentant des calendriers d'années disparues. Frank fixait un point quelque part dans l'espace, enfin c'est ce qu'il me semblait, au lieu de porter les yeux sur ce qui se trouvait dans la pièce, à savoir moi en train de feuilleter une BD, et ma mère qui passait le café.

Je me suis fait mal à la jambe, dit-il – à la jambe et à la tête – en sautant par une fenêtre du troisième étage de l'hôpital où on m'avait opéré de l'appendicite.

L'hôpital de la prison. C'est comme ça que je me suis tiré.

Certaines personnes à qui vous posez une question gênante cherchent à fournir d'abord des tas d'explications (par exemple : où travaillez-vous ? La réponse, c'est : McDonald's, or le type va commencer par dire, oui, mais en réalité je suis un acteur, ou je vais passer prochainement mes examens d'entrée à la fac de médecine). Ou alors elles présentent les faits autrement. Quand le type vous dit je suis dans la vente, ça signifie qu'il est un de ces gus qui appellent au téléphone pour vous faire souscrire un abonnement d'essai à un journal.

Ce n'était pas le cas de Frank. Prison de l'État, à Farmington, a-t-il dit. Ensuite il a relevé sa chemise, révélant un bandage. L'endroit où on lui avait enlevé l'appendice.

Ma mère s'est retournée, le pot de café dans une main, la tasse dans l'autre, elle a posé sur la table le lait en poudre et le sucre.

Nous n'avons pas de crème.

Ça n'a pas d'importance.

Vous vous êtes échappé ? lui ai-je demandé. Alors maintenant la police vous recherche ? J'avais peur, en même temps je trouvais ça très excitant. Il allait enfin se passer quelque chose dans notre vie. Quelque chose de mauvais, peut-être d'épouvantable, en tout cas de différent.

Sans cette maudite jambe, je serais parti beaucoup plus loin. Je ne pouvais pas courir. Quelqu'un m'avait repéré et ils allaient me rattraper quand je me suis caché dans le magasin où vous vous trouviez. Sur le parking, ils ont perdu ma trace.

Frank mettait le sucre dans son café. Trois cuillerées. Je vous serais très reconnaissant si vous vouliez bien me laisser souffler un peu. Ce serait dur de replonger tout de suite dehors. J'ai fait des dégâts en sautant.

Voilà au moins une chose sur laquelle ils pouvaient s'entendre, ma mère et lui : c'était dur de plonger dans le monde extérieur.

Je n'exigerais rien de vous. J'essaierais d'être utile. Je n'ai jamais fait de mal volontairement à quelqu'un.

Vous pouvez rester un moment, mais je ne permettrai pas qu'il arrive quoi que ce soit à Henry.

Le garçon ne s'est jamais trouvé en de meilleures mains.

# 3

Ma mère était une bonne danseuse. Mieux que ça, même. Elle aurait très bien pu jouer dans un film, un de ces vieux films qui ne se font plus, où les acteurs dansaient. Mais nous avions des cassettes vidéo, et elle connaissait certains numéros. Prenez celui de *Chantons sous la pluie*, avec la fille en imperméable et l'homme qui s'enroule autour du réverbère. Eh bien, ma mère l'a interprété un jour, en plein Boston, à l'époque où nous allions encore un peu dans le monde. Elle m'avait emmené au musée des Sciences et, quand nous sommes sortis, il tombait des cordes, alors elle s'est mise à danser autour du réverbère. Par la suite, quand elle faisait des trucs de ce genre, j'avais honte. Cette fois-là, j'ai juste été fier d'elle.

D'ailleurs, c'est en dansant qu'elle avait rencontré mon père. Quoi qu'elle ait pu dire sur lui, elle a toujours reconnu que cet homme s'y entendait à faire tourner une femme sur une piste de danse. De l'époque où mes parents vivaient ensemble, un souvenir me restait, celui de les avoir vus danser, et malgré ma jeunesse, j'avais su qu'ils étaient les meilleurs.

Tu comprends, disait-elle, il y a des hommes qui se contentent de poser la main sur ton épaule ou dans le creux des reins, mais les bons savent qu'il faut l'appuyer fort à cet endroit, pour qu'on puisse s'arc-bouter et se plier en arrière.

La façon de tenir sa partenaire dans une salle de danse n'était que l'une des nombreuses choses sur lesquelles ma mère avait une opinion très arrêtée. Elle croyait notamment que les fours à micro-ondes provoquent cancer et stérilité – aussi, bien que nous en ayons un nous-mêmes, me fit-elle promettre de toujours me protéger le bas-ventre d'un livre de recettes quand, dans la cuisine chez mon père, Marjorie faisait réchauffer un plat.

Un jour, elle rêva qu'un tsunami monstrueux allait venir frapper les côtes de Floride, preuve évidente que je ne devais pas accompagner mon père et Marjorie à Disney World – même si Orlando se situe loin à l'intérieur des terres. Elle affirma que notre voisine, Ellen Farnsworth, avait mis notre téléphone sur écoute. Comment expliquer, sinon, que le lendemain du jour où mon père avait appelé en exigeant que ma mère me conduise aux épreuves de sélection de la Little League[1], Mrs Farnsworth soit passée à la maison pour demander si je voulais qu'elle me

---

1. Ligue de baseball qui organise des compétitions de jeunes (*NdT*).

dépose quelque part ? Et pourquoi serait-elle venue qué-
mander un œuf en prétextant qu'il lui en manquait un
pour finir sa préparation de biscuits au chocolat ? Sinon
pour vérifier que le micro était toujours bien en place ?

On fabrique des micros si petits qu'il pourrait y en
avoir un de caché dans la salière, avait dit ma mère. Salut,
Ellen. Elle l'appelait, penchée sur la salière. À une époque,
je trouvais formidable et impressionnant qu'elle soit au
courant de trucs comme ça et qu'ensuite elle sache comment réagir. Plus maintenant.

Quant à la Little League, c'est une de ces institutions
qui écrasent la créativité des enfants en les obligeant à suivre leurs règles stupides, décréta-t-elle.

Comme n'autoriser que trois lancers ? Ou décider que
le gagnant c'est l'équipe qui a fait le plus grand nombre de
tours ? ai-je demandé.

J'étais malin, d'accord. Je détestais le baseball, mais
parfois aussi je détestais la façon dont ma mère considé-
rait tout ce que faisaient les autres, au prétexte que ce
n'était pas notre genre. Et que ces gens n'étaient pas non
plus notre genre.

D'ailleurs, c'est quoi cette femme, dit-elle, après que
Mrs Farnsworth eut accouché de son quatrième enfant.
Chaque fois que je me retourne, elle vient d'avoir un nou-
veau bébé.

Cela faisait partie des sujets dont nous parlions au
dîner. Elle parlait, j'écoutais. Elle affirmait qu'il ne
convient pas de regarder la télévision pendant les repas.
Les repas doivent servir à la conversation. Dans notre
cuisine, à la lumière de la dernière ampoule encore en état

de marche, tandis que nous mangions notre dîner surgelé (réchauffé au four, jamais au micro-ondes), elle envisageait la possibilité que la méthode contraceptive utilisée par les Farnsworth fût défectueuse – un diaphragme, peut-être? – et me racontait des histoires de sa vie. Après s'être servi un verre de vin.

Ton père était un très bel homme. Tu lui ressembleras. Un jour elle avait expédié une photo de lui à quelqu'un à Hollywood, au début de leur mariage, parce qu'elle pensait qu'il pourrait devenir une vedette.

Ils ne m'ont jamais répondu. Elle semblait encore tout étonnée.

Mon père était originaire de la ville que nous habitions maintenant. Elle l'avait rencontré au mariage d'une de ses anciennes camarades de classe, dans le Massachusetts.

Je ne sais pas pourquoi Cheryl m'avait invitée. Nous n'étions pas si amies que ça. Mais du moment qu'il y avait de la danse au programme, j'étais partante.

Mon père était venu au mariage avec une autre fille. Ma mère était venue seule, ce qui lui plaisait. Comme ça, disait-elle, tu ne risques pas de rester collée toute la nuit avec quelqu'un qui ne sait pas danser.

Mon père, lui, savait. En fin de soirée, les gens avaient libéré un espace au milieu de la piste, juste pour eux deux. Il lui faisait exécuter des mouvements inédits pour elle, des culbutes genre saut périlleux, heureusement qu'elle avait mis sa petite culotte rouge.

Il embrassait bien aussi. Ils avaient passé ce premier week-end au lit, ainsi que les trois jours suivants. Je n'avais peut-être pas vraiment besoin d'entendre ce genre d'histoires. Mais dès le deuxième verre, ce n'était plus vraiment à moi qu'elle parlait.

Si seulement nous avions pu danser tout le temps. Si nous avions pu ne jamais nous arrêter, rien ne serait arrivé.

Elle quitta son boulot à l'agence de voyage et partit s'installer chez lui. Il ne vendait pas encore des polices d'assurance. Il possédait une camionnette et sillonnait la région en vendant des hot-dogs et du pop-corn dans les foires. Elle l'accompagnait et parfois, le soir, s'ils étaient allés trop loin au nord ou vers l'océan, ils ne rentraient pas à l'appartement. Ils gardaient un sac de couchage sous le siège. Un seul suffisait.

Évidemment, c'était uniquement un boulot d'été. L'hiver venu, ils ont gagné la Floride. Elle a trouvé un job de serveuse de margaritas dans un bar, à St Pete Beach, lui, il emmenait les gens visiter les Everglades. La nuit, ils allaient danser.

J'essayais de manger lentement, sachant que, le repas terminé, elle reviendrait à la réalité et quitterait la table. Quand elle évoquait cette époque, la vie en Floride, la camionnette à hot-dogs, leurs projets de partir pour la Californie et de se faire engager comme danseurs dans une émission de variétés à la télé, une certaine expression se peignait sur son visage, celle que prennent les gens en entendant à la radio un air qu'ils chantaient dans leur jeunesse, ou en voyant un chien traverser la rue, qui ressemble au toutou de leur enfance – un fox-terrier peut-être ou un colley. Elle me rappelait alors ma grand-mère apprenant la mort de Red Skelton, mais aussi elle, le jour où mon père s'était arrêté devant la maison avec le bébé dans les bras, qu'il m'avait dit être ma sœur. Ça faisait plus d'un an qu'il nous avait quittés, mais pour ma mère ce moment – celui où elle vit le bébé – fut le pire.

J'avais oublié comme c'est petit un bébé, dit-elle ensuite, le visage fondant. Ou peut-être *chiffonné*. Puis elle s'est reprise. Tu étais beaucoup plus mignon.

Du temps que nous allions encore en ville, elle me racontait aussi des histoires dans la voiture, tout en conduisant. Ensuite, quand elle n'a plus bougé de la maison, et qu'elle me les a racontées uniquement pendant le dîner, même si elles étaient tristes, j'aurais voulu qu'elles ne finissent jamais. Je savais que, dès que j'aurais reposé ma fourchette, elle se lèverait. Il faut débarrasser la table, dirait-elle. Tu as des devoirs à faire.

La véritable fin avait eu pour cause leur retour dans le Nord et la vente de la camionnette à hot-dogs. Entre-temps, le monde de la télévision avait changé, ils ne s'étaient pas aperçus, pendant qu'ils traversaient le pays, que les grands shows, genre *Sonny and Cher*, avaient disparu. Mais cela lui était égal, car ce qu'elle voulait plus que tout, plus que d'être danseuse, c'était avoir un bébé.

Alors tu t'es annoncé. Et mon rêve s'est réalisé.

Mon père devint agent d'assurances. Spécialisé dans les blessures et les infirmités. Personne ne savait calculer plus vite que lui combien pouvait toucher une personne pour la perte d'un bras, d'un bras et d'une jambe, ou des deux jambes, voire – le jackpot – des quatre membres, à condition que la personne en question ait eu la bonne idée de souscrire la police qu'il lui proposait. Le million et une nouvelle vie assurés.

Dès ma naissance, ma mère avait arrêté de travailler. Nous habitions chez ma grand-mère paternelle, après sa mort la maison revint à mes parents – ce n'était pas celle où nous vivions, ma mère et moi, depuis le divorce. Non, la vieille maison, c'étaient mon père, Marjorie, Richard et Chloe qui l'habitaient, sur laquelle il avait pris une seconde hypothèque afin de racheter la part de ma mère qui, grâce à ça, avait acquis celle dont je vous parle. Plus petite, sans l'arbre dans la cour où était accrochée ma balançoire, mais assez grande pour une famille réduite à deux personnes.

Cette histoire-là, je l'avais reconstituée tout seul, à l'occasion des dîners du samedi soir avec Marjorie et mon père – quand il sortait des trucs du genre : si ta mère ne m'avait pas obligé à lui donner tout cet argent pour la maison – ou que Marjorie, pinçant les lèvres, demandait si ma mère s'était enfin mise en quête d'un boulot normal.

Cette sorte de paralysie qui empêchait ma mère de sortir de chez elle durait depuis si longtemps que j'avais oublié de quand elle datait. Mais je connaissais l'explication.

C'est à cause des bébés, disait-elle. Tous ces bébés qui pleurent, et que leur mère calme en leur fourrant une tétine dans la bouche. Et puis aussi à cause du temps, de la circulation, des centrales nucléaires et du danger des ondes émises par les lignes à haute tension. Mais surtout, avant tout, à cause des bébés et des mères.

41

Elles les font sans y penser, disait-elle. Comme si l'exploit consistait à les mettre au monde, le reste n'étant plus qu'une corvée dont on s'acquitte le mieux possible en les gorgeant de soda et en les asseyant devant des vidéocassettes. (La mode en était à ses débuts.) Est-ce que les gens ne savent plus parler à leurs enfants?

Elle, en revanche, le savait. Même trop, si vous voulez mon avis. La seule personne qu'elle avait envie de voir désormais, disait-elle, c'était moi.

Pourquoi s'embêter à faire des courses, quand on peut tout commander chez Sears? Quand il fallait néanmoins aller au supermarché, soit elle me donnait l'argent et m'attendait dans la voiture, soit elle entrait avec moi et raflait un maximum de boîtes de soupe Campbell, de conserves de poisson, beurre de cacahuète et crêpes surgelées, la maison se transformait en abri antiaérien. Un ouragan pouvait bien nous frapper, on avait de quoi tenir pendant des semaines. De toute façon le lait en poudre était meilleur pour ma santé. Moins gras. Ses parents avaient tous les deux présenté un taux de cholestérol trop élevé et étaient morts jeunes.

Elle finit par tout acheter par correspondance, sur catalogue, même nos slips et nos chaussettes – l'internet n'existait pas encore – la circulation en ville était telle, disait-elle, qu'elle refusait de prendre sa voiture et de contribuer à la pollution. Je suggérai d'acheter un scooter. Dans une émission de télé, j'avais vu un type rouler là-dessus, imagine, lui disais-je, toi et moi sur cet engin, ce serait génial.

Combien de courses a-t-on réellement besoin de faire ? protestait-elle. Quand on pense à tout ce temps perdu qui serait tellement mieux utilisé en restant chez soi.

Plus jeune, j'avais essayé de l'entraîner dehors. Allons au bowling, disais-je. Au golf miniature. Au musée des Sciences. Au Lions' Club : ils vont projeter *Oklahoma*, après on dansera.

Juste ce qu'il ne fallait pas dire.

C'est ce qu'ils appellent danser.


Parfois je me demandais si le problème n'était pas qu'elle avait trop aimé mon père. J'avais entendu parler de cas de personnes qui ne se remettaient jamais de la mort ou du départ de quelqu'un qu'ils avaient trop aimé. On disait qu'ils avaient le cœur brisé. Un soir, pendant notre dîner de surgelés, au moment du troisième verre de vin, je faillis lui poser la question. Est-ce que pour haïr quelqu'un comme elle semblait haïr mon père, il ne fallait pas d'abord l'avoir beaucoup aimé ? Comme dans le jeu de bascule : plus bas descend l'un, plus haut monte l'autre.

J'ai fini par conclure que ce n'était pas d'avoir perdu mon père qui avait brisé le cœur de ma mère – si c'est bien ce qui lui était arrivé –, c'était d'avoir perdu l'amour tout court – voyager en vendant du pop-corn et des hot-dogs, traverser l'Amérique en dansant, vêtue d'une robe scintillante et d'une petite culotte rouge. Avoir quelqu'un qui vous dise tous les jours que vous êtes belle, ce que faisait mon père, racontait-elle.

Et quand tout cela disparaît, vous ressemblez à un de ces cochons d'argile sur lesquels pousse une plante qu'on oublie d'arroser. Un hamster qu'on oublie de nourrir.

Ma mère était une plante qu'on n'avait pas arrosée depuis longtemps. J'essayais de compenser par des petits gestes cette négligence. En laissant sur son lit des mots où j'écrivais des choses du genre : « Pour la première maman du monde », accompagnées d'un caillou que j'avais trouvé ou d'une fleur, parfois je composais des chansons drôles, ou bien je nettoyais le tiroir à couverts, je garnissais toutes les étagères de papier, pour son anniversaire ou à Noël je lui offrais des carnets de bons avec la mention « Remboursable en cas de sortie des poubelles », ou « Valable pour un passage d'aspirateur ». Je lui en avais même fabriqué un disant : « Mari pour un jour », promettant que lorsqu'elle irait toucher son coupon, je remplirais toutes les tâches d'un mari.

À l'époque, si j'étais trop jeune pour comprendre ce dont je manquais afin d'assurer correctement cette fonction, j'avais néanmoins conscience de mon impuissance, surtout la nuit, allongé sur mon lit, dans ma chambre séparée de la sienne par un mur si mince que les deux pièces semblaient n'en faire qu'une. J'ai perçu sa solitude et son désir avant de savoir les nommer. Un désir qui n'avait probablement jamais eu pour objet la personne même de mon père. À le voir maintenant, il était difficile d'imaginer qu'il avait pu un jour être digne d'elle. Ce qu'elle avait aimé, c'était l'amour.

Deux ans environ après le divorce, au cours de l'un de nos dîners du samedi soir, mon père m'avait demandé si je croyais que ma mère devenait folle. J'avais huit ou neuf ans, mais on peut douter que, même avec quelques années de plus, j'aurais pu répondre plus facilement. J'étais assez âgé pour savoir que la plupart des mères ne restent pas assises dans la voiture pendant que leur fils se précipite à l'épicerie ou court encaisser à la banque – il n'y avait pas de distributeurs de billets en ce temps-là – un chèque de cinq cents dollars : de quoi, disait-elle, tenir un bon moment.

J'avais des copains, donc je savais comment se comportaient leurs mères – elles avaient un travail, elles s'asseyaient sur un banc et regardaient leur fils jouer au ballon, elles allaient chez le coiffeur, au centre commercial, assistaient à la soirée d'orientation scolaire. Elles n'avaient pas pour unique amie une femme triste poussant un fils arriéré mental dans une voiturette surdimensionnée.

Non, elle est timide, c'est tout, ai-je répondu à mon père. Sa musique l'occupe beaucoup. Elle venait de se mettre au violoncelle. Elle avait vu un documentaire sur une célèbre violoncelliste, peut-être la meilleure violoncelliste du monde, atteinte d'une maladie, une sorte de paralysie qui faisait qu'elle manquait des notes, laissait tomber l'archet et finissait par ne plus pouvoir jouer, cependant que son mari, lui aussi un célèbre musicien, la quittait pour une autre femme.

45

Ma mère m'avait raconté cette histoire un soir, à la fin de notre dîner de poisson surgelé. Le mari avait commencé par coucher avec la sœur de la célèbre violoncelliste. Qui ne pouvait plus marcher et qui devait rester au lit tandis que, sous son toit, son mari couchait avec sa sœur.

Ils faisaient l'amour dans la chambre à côté. Qu'est-ce que tu dis de ça, Henry?

C'est mal, ai-je cru devoir affirmer. Elle ne s'attendait d'ailleurs pas que je réponde.

Elle m'expliqua qu'elle étudiait le violoncelle en hommage à Jacqueline du Pre. Elle apprenait sans professeur, sur un instrument loué dans un magasin spécialisé d'une ville éloignée. Un peu petit, car c'était un violoncelle pour enfant, mais suffisant pour une débutante. Dès qu'elle commencerait à piger, elle en prendrait un meilleur.

Maman va bien, ai-je dit à mon père. C'est juste qu'elle est triste quelquefois, quand les gens meurent. Comme Jacqueline du Pre.

Tu pourrais venir vivre avec Marjorie et moi. Et Richard et Chloe. Si tu le souhaites, on peut l'amener devant un tribunal. Ils la feront examiner.

Maman est super. Son amie Evelyn va venir nous voir demain. Je jouerai avec Barry, le fils d'Evelyn.

(*Bla-bla gou-gou. Boubou zo-zo* : le langage de Barry.)

Je dévisageais mon père pendant que je lui racontais ça. S'il avait souhaité en savoir plus, je lui aurais tout déballé – qui était Barry, les projets de maman et d'Evelyn d'habiter une ferme ensemble, où elles assureraient elles-mêmes l'éducation de leurs enfants tout en cultivant des légumes. Suivraient un régime macrobiotique pour réactiver les cellules du cerveau de Barry. S'éclaireraient grâce à l'énergie solaire. Ou grâce au vent, ou au moyen de la machine que la mère de Barry avait vue dans *Evening Magazine*, qui permettait d'accumuler l'énergie nécessaire pour faire fonctionner le réfrigérateur rien qu'en pédalant une heure chaque matin sur un engin type bicyclette. On fait des économies et on maigrit en même temps. Maigrir, ma mère n'en avait pas besoin, Evelyn oui.

Or, m'entendre raconter le joyeux emploi du temps de maman parut considérablement soulager mon père, ce dont je m'étais douté. Je savais qu'il ne souhaitait pas réellement que je vienne habiter avec lui et Marjorie, pas plus que je ne désirais vivre avec lui et une femme qui appelait ses enfants (et moi, par la même occasion) des chatons. Ou des minets, son terme favori.

J'avais beau être son vrai fils, mon père avait un faible pour Richard, c'était plus son type. Dans les matchs de Little League, Richard marquait toujours quand il était à la batte. Tandis que moi, je ne quittais pas mon banc, si bien qu'un jour mon père a fini par admettre que ce n'était peut-être pas mon sport. Une chose est sûre : personne ne m'a regretté chez les Enfield Tigers.

Je te demande ça parce que j'ai l'impression qu'elle est déprimée, a dit mon père. Et je ne voudrais pas que ça devienne traumatisant pour toi. Tu as besoin de quelqu'un qui s'occupe de toi convenablement.

Maman s'occupe super-bien de moi. On fait des tas de choses marrantes ensemble. Plein de gens viennent nous voir. Et puis on a des hobbies.

On apprend l'espagnol.

# 4

On le cherchait dans toute la ville, évidemment. Frank. Nous ne recevions qu'une seule chaîne sur notre téléviseur, mais sans attendre les informations de six heures, ils ont interrompu les programmes pour parler de cette évasion. Théoriquement, étant donné ses blessures, et le fait que la police avait barré les routes moins d'une heure après avoir découvert sa fuite – dans notre ville, il n'y avait fondamentalement qu'une seule route : pour entrer et pour sortir –, il ne pouvait pas être allé bien loin.

Son visage apparut à l'écran. Ça faisait tout drôle de voir à la télé la personne assise au même moment dans votre salon. Comme si, imaginons, cette fille, Rachel, se trouvait chez moi, ce qui n'arriverait jamais, pendant la rediffusion de *Gilligan's Island*, et qu'elle voie ma mère entrer avec une assiette de petits gâteaux, chose tout aussi impossible, alors qu'elle croyait toujours que ma mère était l'actrice principale.

« Nous avons une célébrité parmi nous », avait dit Marjorie le soir où papa et elle m'avaient emmené prendre un sundae après le spectacle où je jouais le rôle de Rip Van Winkle. Mais, là, c'était la vérité.

Maintenant ils interviewaient le chef de la police de la route, qui disait qu'on avait repéré l'évadé au centre commercial. Il traitait Frank d'individu dangereux, peut-être armé, ce qui était faux. Je lui avais déjà demandé s'il avait un revolver, et il m'avait dit non. J'avais été très déçu.

Si vous apercevez cet individu, contactez immédiatement les autorités, dit la présentatrice. Un numéro de téléphone s'afficha sur l'écran. Ma mère ne le nota pas.

Apparemment, il avait été opéré de l'appendicite le jour précédent. D'après la télé, il avait ligoté l'infirmière supposée le surveiller et sauté par la fenêtre, mais nous connaissions déjà cette partie de l'histoire, et nous savions aussi qu'il avait détaché l'infirmière avant de sauter. Celle-ci racontait à présent qu'il s'était toujours montré prévenant et aimable envers elle. Un gentil malade, d'où le choc quand il l'avait attachée.

Ils donnèrent ensuite les raisons de son emprisonnement. Assassinat.

Jusqu'à cet instant, Frank n'avait pas bronché. Nous regardions la télé tous les trois, comme s'il s'était agi de n'importe quelle émission passant à la même heure. En s'entendant traiter d'assassin, il serra la mâchoire, qui se mit à tressauter.

Ils n'expliquent jamais en détail, dit-il. Ça ne s'est pas passé comme ils vont le raconter.

Sur l'écran, le programme normal avait repris. La rediffusion d'un épisode de la série *Happy Days*.

Adele, je dois vous demander de m'abriter quelques jours, dit Frank. Ils vont continuer à me chercher sur les routes, ils vont fouiller tous les bus, personne n'imagine que je me terre dans les parages.

Le point suivant, ce n'est pas ma mère qui l'a abordé. C'est moi. Ça me faisait de la peine, parce que je l'aimais bien, Frank, et que je ne voulais pas le fâcher, mais c'était important, me semblait-il, que quelqu'un en parle. Je l'avais entendu mentionner à la télé.

« Ce n'est pas interdit par la loi d'abriter un criminel ? » lui ai-je demandé. Aussitôt, j'ai regretté le mot. On avait beau ne rien connaître de Frank, c'était moche de traiter de criminel quelqu'un qui m'avait acheté un album de jeux et revissé des ampoules neuves dans toute la maison. Il avait complimenté ma mère sur la couleur des murs de la cuisine – cette nuance de jaune qui lui rappelait les boutons d'or de la ferme de sa grand-mère où il avait grandi. Il nous avait annoncé qu'il allait préparer un chili comme nous n'en avions encore jamais mangé.

Vous avez un bon fils, astucieux, Adele. C'est rassurant de savoir qu'il s'occupe de vous. Ce que tout fils doit faire pour sa mère.

Ce serait un problème si on découvrait Frank ici, a affirmé ma mère. Tant que personne ne sait qu'il est là, il n'y a pas de mal.

Je connaissais la deuxième partie du raisonnement. Ma mère, les lois, ça ne l'intéressait pas. Elle n'allait pas à l'église, mais, disait-elle, celui qui prend soin de nous, c'est Dieu.

Pas mal vu, admit Frank. Mais il n'en est pas moins inacceptable de vous mettre en danger, vous et votre famille.

Notre famille. Il parlait de nous comme d'une famille.

C'est pourquoi je vais vous attacher. Vous seulement, Adele. Henry ne veut pas que quoi que ce soit arrive à sa mère. Voilà pourquoi il n'ira pas à la police et n'appellera personne. Je ne me trompe pas, n'est-ce pas, Henry?

Ma mère ne bougea pas du canapé. Tout le monde se tut. On entendait grincer la roue sur laquelle tournait Joe dans sa cage, le crissement de ses ongles sur le métal, et le sifflement de l'eau en train de bouillir, pour notre Repas-Minute.

Je dois vous demander de me conduire à votre chambre, Adele. J'imagine qu'une femme comme vous possède des écharpes. En soie, ce serait bien. Une corde ou de la ficelle pourrait entamer la peau.

La porte n'était qu'à un mètre cinquante de moi, et était restée légèrement entrouverte depuis notre retour. De l'autre côté de la rue, il y avait la maison des Jervis, d'où Mrs Jervis me hélait parfois quand je passais à vélo, pour commenter la météo. Un peu plus loin, les Farnsworth, les Edwards – ils étaient venus une fois demander à ma mère si elle avait l'intention de ratisser ses feuilles mortes, oui ou non, parce que, poussées par le vent, elles commençaient à envahir les pelouses de tout le voisinage. Chaque année en décembre, les illuminations de Mr Edwards attiraient devant sa maison plein de gens, si bien qu'il en passait pas mal devant chez nous.

Tout cet argent dépensé pour mettre des ampoules

électriques, disait ma mère. Il ne leur vient jamais à l'idée de regarder les étoiles ?

Je pouvais donc filer chez ces gens, attraper leur téléphone et appeler un numéro. La police. Mon père. Non, pas mon père : il verrait dans cette histoire la preuve que ma mère était réellement folle.

Mais je ne voulais pas faire ça. Peut-être que Frank avait une arme, en fin de compte. Puisqu'il avait tué quelqu'un. Pourtant il ne donnait pas l'impression de vouloir nous faire du mal.

J'observais le visage de ma mère. Pour une fois, elle semblait aller vraiment bien. Les joues roses, ce qui était rare, et les yeux vissés sur ceux de Frank. Qui étaient bleus.

Effectivement, j'ai une collection d'écharpes, a-t-elle dit. Elles appartenaient à ma mère.

C'est juste pour sauver les apparences, a conclu Frank calmement. Je pense que vous comprenez ce que je veux dire.

Je me suis levé et suis allé fermer la porte. Personne ne pourrait voir à l'intérieur. Puis je me suis rassis, les jambes repliées sous moi, et je les ai regardés monter l'escalier en direction de la chambre de ma mère : elle en tête, lui derrière. Ils semblaient monter plus lentement qu'ils n'auraient dû normalement, comme s'ils réfléchissaient à chaque pas. Comme si quelque chose d'autre qu'un paquet de vieilles écharpes les attendait là-haut.

Ils redescendirent quelques minutes plus tard. Il lui demanda de choisir la chaise qu'elle jugeait la plus confortable. À la seule condition qu'elle ne se trouve pas près de la fenêtre.

À en juger par ses grimaces, il était évident qu'il avait mal, mais il faisait ce qu'il avait à faire.

Il commença par épousseter le siège, puis passa la main sur le bois, comme pour vérifier qu'il n'y avait pas d'échardes. D'une pression ferme, mais pas brutale, sur l'épaule, il la fit s'asseoir, puis demeura immobile une longue minute, la dominant de toute sa hauteur, l'air de réfléchir. Elle levait les yeux vers lui. Si elle avait peur, elle le cachait bien.

Pour lui attacher les pieds, il a dû s'agenouiller. Ma mère portait les chaussures qu'elle préférait, le genre chaussons de danseuse. Il les lui a ôtées délicatement, les prenant l'une après l'autre dans le creux de la main, une main étonnamment grande – ou peut-être était-ce le contraste avec les pieds, si petits.

J'espère que vous ne m'en voudrez pas, Adele, de vous dire que vous avez de beaux pieds.

J'ai eu de la chance. Des tas de danseuses s'abiment les orteils.

Sur quoi, il saisit l'une des écharpes posées sur la table – une rose à motifs de roses – puis une autre, avec des dessins géométriques. J'eus l'impression qu'il lui effleurait la joue avec, mais c'était peut-être mon imagination. Ce que je sais, c'est que le temps paraissait suspendu, ou avancer si lentement que des minutes parurent s'écouler avant qu'il lui attache les chevilles. La chaise elle-même, il l'avait attachée à une tringle en métal sous la table, un de ces trucs qui permettent de poser des rallonges quand on a des invités. Ce dont bien sûr nous ne nous servions jamais.

Frank sembla avoir oublié ma présence pendant toute l'opération – chaque cheville entourée d'une écharpe qu'il nouait ensuite aux pieds de la chaise, les poignets ligotés avec une autre et posés sur les genoux, si bien qu'elle avait l'air de prier. En tout cas d'être assise à l'église. Où nous n'allions naturellement jamais.

Puis il se rappela que j'existais. N'aie pas peur, mon garçon. C'est juste un truc qu'il faut faire dans ce genre de situation.

Encore une chose – il s'adressait à ma mère. Je ne veux pas vous embarrasser, mais si vous avez besoin d'aller aux toilettes, ou un autre besoin qui requiert l'intimité, n'hésitez pas, un mot suffira.

Je vais m'asseoir à côté de vous, si vous n'y voyez pas d'inconvénient.

À cet instant, la douleur le fit grimacer. Juste une seconde.

Elle lui parla alors de sa jambe. Ma mère ne croyait pas beaucoup à la médecine, elle conservait néanmoins sous l'évier une bouteille d'alcool à 90 degrés. Il ne fallait pas que ça s'infecte, lui dit-elle. Et peut-être qu'ils pourraient bricoler une sorte d'attelle pour sa cheville.

Vous vous retrouverez comme avant, sans même avoir le temps de vous en apercevoir.

Et si je ne voulais pas me retrouver comme avant ? Si je voulais être différent ?

Il l'a nourrie. Moi, j'avais les mains libres, ma mère, non, aussi a-t-il posé l'assiette devant lui sur la table. Quant au chili, il avait raison. Je n'en avais jamais mangé d'aussi bon.

En tout cas, une chose est sûre : la façon qu'il avait de porter la nourriture aux lèvres de ma mère, et elle de la recevoir, n'avait rien de commun avec ce que faisait Evelyn quand elle donnait à manger à Barry. Ou Marjorie avec le bébé, qu'on disait ma sœur, à qui elle enfournait les pêches dans la bouche tout en parlant au téléphone ou en hurlant après Richard, si bien que la moitié dégoulinait sur la poitrine du bébé, sans même que Marjorie s'en aperçoive. On pourrait croire que c'est plutôt humiliant pour quelqu'un de devoir se faire nourrir comme ça par quelqu'un d'autre. Obligé d'avaler, même si la cuiller est trop pleine, ou de rester la bouche ouverte, s'il n'y en a pas assez. On pourrait supposer que ça vous rend furieux ou désespéré, et que du coup, la seule chose à faire c'est de recracher la nourriture à la figure de la personne en question. Après quoi, vous mourrez de faim.

Mais il y avait une sorte de beauté dans la façon dont s'y prenait Frank, on pensait à un joaillier, ou à un savant maniant une éprouvette, ou à un de ces vieux Japonais qui passent une journée à travailler sur un unique bonsaï.

Il veillait à ce que chaque cuillerée soit pleine juste comme il faut, afin qu'elle ne s'étouffe pas et ne bave pas. Il comprenait, c'était évident, le genre de personne qu'était ma mère, soucieuse de son apparence, même sans autre spectateur dans sa cuisine que son fils et un prisonnier échappé. Bon, le regard de son fils, elle s'en fichait peut-être, mais celui de l'autre, sûrement pas.

Avant de porter la cuiller de chili à sa bouche, il soufflait dessus pour ne pas lui brûler la langue, toutes les deux ou trois cuillerées, il lui donnait à boire. Alternant l'eau et le vin, sans attendre qu'elle précise.

Ce dîner, nous l'avons passé dans un complet silence. Comme si ces deux-là n'avaient pas besoin de parler, leurs regards rivés l'un sur l'autre suffisaient. Et puis aussi : la façon qu'elle avait de cambrer le cou vers lui, style oiseau dans son nid, et lui de se pencher en avant, genre peintre devant sa toile. Un petit coup de pinceau, par-ci. Contemplation muette par-là.

À un moment, une goutte de sauce tomate gicla sur la joue de ma mère. Elle aurait pu, certainement, réussir à la lécher, mais elle a dû deviner que c'était un effort inutile. Il a plongé la serviette dans l'eau du verre, en a effleuré sa peau, puis posé le doigt sur la joue, pour la sécher. Elle a remercié d'un imperceptible mouvement de tête. Qui aurait pu passer inaperçu, sauf qu'elle lui a frôlé la main de ses cheveux, et qu'il a écarté la mèche de son visage.

Lui ne mangeait pas. J'avais faim mais, face à eux, il semblait aussi vulgaire de mâcher ou d'avaler que de se goinfrer de pop-corn au baptême d'un bébé ou de lécher un cornet de glace pendant que votre copain vous raconte la mort de son chien. Ma place n'était pas à cette table.

Je vais aller manger dans le living, ai-je dit. Regarder la télé.

Il y avait aussi le téléphone dans la pièce. J'aurais pu décrocher et appeler. J'ai allumé le poste et mangé mon chili en regardant *Three's Company*.

Plus tard, quand j'en ai eu marre, j'ai jeté un œil dans la cuisine. Il avait lavé la vaisselle et fait du thé, que personne ne buvait. J'entendais le son de leurs voix, mais pas les paroles.

J'ai crié que j'allais me coucher. Normalement, ma mère m'aurait dit : « Fais de beaux rêves », mais là, elle était occupée.

# 5

Ma mère n'avait pas de job régulier, elle vendait des vitamines par téléphone. Toutes les deux semaines, la société pour laquelle elle travaillait – MegaVite – lui envoyait un listing de clients potentiels, avec leur numéro de téléphone, répartis dans notre région. Elle touchait une commission sur chaque paquet de vitamines vendu, et bénéficiait d'un rabais sur celles qu'elle réservait à notre usage personnel. Elle veillait à ce que je prenne mes méga-vitamines deux fois par jour. Rien qu'à voir mes yeux, disait-elle, on jugeait du résultat. Alors que des tas de gens ont des cornées grisâtres, les miennes étaient aussi blanches que du blanc d'œuf, sans compter que, contrairement à tant d'autres garçons de mon âge (comme si elle en rencontrait des tonnes !), je n'avais pas d'acné.

Tu es encore trop jeune pour apprécier ce traitement, disait-elle aussi, mais, plus tard, tu reconnaîtras l'effet bénéfique des minéraux sur ta virilité et ta santé sexuelle. On a fait des études sur le sujet. Il est important de surveiller ces choses-là, particulièrement à l'approche de la puberté.

Ce genre de discours qu'elle était censée tenir aux clients potentiels de son listing, en réalité s'adressait d'abord à moi.

Ma mère était la pire des vendeuses. Pour commencer, elle détestait téléphoner à des étrangers. Les listings s'empilaient sur la table de la cuisine, quelques noms, ici et là, marqués d'une croix avec un commentaire du style : *Ligne occupée. Rappeler à une heure plus commode. Aimerait bien acheter mais pas d'argent.*

*Rien qu'à votre voix, je peux vous assurer, Marie, que vous avez besoin de ces vitamines,* l'ai-je entendue dire une fois au téléphone – l'une des rares soirées où, armée de son stylo et de son carnet de notes, elle avait entrepris d'appeler les gens. J'étais venu à la cuisine me préparer un bol de céréales avec du lait en poudre. Pourvu que ça dure, ai-je pensé, parce qu'elle m'avait promis, si elle réussissait à joindre une trentaine de nouveaux clients, de m'acheter le coffret de tous les Sherlock Holmes, celui du Club du livre classique, auquel nous nous étions abonnés l'année d'avant pour recevoir gratuitement l'atlas mondial et une édition reliée des *Chroniques de Narnia,* avec des illustrations pleine page en couleurs.

*Donc voilà ce que nous allons faire, Marie. Je vais vous envoyer les vitamines. Je les achèterai moi-même avec le rabais que m'accorde la société. Vous m'enverrez un chèque plus tard, quand les choses iront mieux pour vous.*

Comment tu sais que cette personne que tu ne connais pas est dans une situation plus mauvaise que la nôtre ? lui ai-je demandé.

Parce que moi, je t'ai.

J'imagine que ton père ne t'a jamais parlé de sexualité, me dit-elle un soir, pendant notre dîner de surgelés. Le moment que je redoutais était arrivé. J'aurais pu y échapper en affirmant que si, il m'avait tout expliqué, mais j'étais incapable de mentir à ma mère.

Non, il l'a jamais fait.

La plupart des gens se braquent sur les changements physiques. Peut-être que tu commences à en éprouver les effets. Je n'ai pas l'intention de violer ton intimité en te demandant des détails.

On a appris ça en classe, ai-je dit, le prof d'éducation sanitaire. Je n'avais qu'une idée : couper court à cette discussion. Le plus vite possible.

Ils ne parlent jamais de l'amour, Henry. De toutes les parties du corps qu'ils décrivent, la seule qu'ils ne mentionnent jamais, c'est le cœur.

Ben, tant pis.

Ça ne l'a pas fait taire pour autant. Il y a autre chose dont ton prof ne te parlera probablement jamais. Autre chose que les hormones.

Je me préparai à entendre les horribles mots. *Éjaculation. Sperme. Érection. Poils pubiens. Pollution nocturne. Masturbation.*

Le Désir, dit-elle. Personne n'en parle. Les gens prétendent que faire l'amour n'est qu'une question de sécrétions, de fonctionnement corporel et de reproduction. Ils oublient de raconter ce qu'on ressent.

Je voulais qu'elle arrête. Je voulais lui mettre la main sur la bouche, disparaître dans la nuit. Tondre le gazon, ratisser les feuilles mortes, ramasser la neige. N'importe quoi, sauf rester ici.

On peut avoir faim d'autre chose que de nourriture, dit-elle, en débarrassant nos assiettes — la sienne à peine entamée comme d'habitude — et en se versant un nouveau verre de vin.

Faim d'un contact humain. Elle soupira profondément. Sûr que cette faim-là, elle la connaissait.

# 6

C'est une chose qui arrive parfois : vous vous réveillez et, pendant une minute, vous ne savez plus ce qui s'est passé la veille. Votre cerveau doit se réenclencher pour que vous puissiez vous rappeler ce qui s'est passé – que ce soit agréable ou, le plus souvent, désagréable – et que la nuit a effacé. Par exemple, le lendemain du jour où mon père nous avait quittés, quand j'ai ouvert les yeux et regardé par la fenêtre, j'ai su que quelque chose n'allait pas, mais j'étais incapable de me rappeler quoi. Puis ça m'est revenu.

Ou quand Joe a disparu de sa cage pendant trois jours, que tout ce que nous pouvions faire était de répandre de la nourriture de hamster dans toute la maison en espérant que ça le ferait revenir – ce qui a marché. Autre exemple : quand ma grand-mère est morte – non que je l'aie vraiment connue, mais parce que ma mère l'avait aimée et que désormais elle serait orpheline, ce qui signifiait qu'elle allait se sentir encore plus seule au monde, ce qui signifiait que, plus que jamais, je devrais rester là, dîner avec elle, jouer aux cartes avec elle, et l'écouter raconter ses histoires, toujours plus d'histoires.

Le lendemain du jour où nous avons ramené Frank à la maison – le jeudi précédent le long week-end du Labor Day – je me suis réveillé en ayant oublié qu'il était là. Je savais seulement qu'il y avait du nouveau dans notre vie.

C'est l'odeur de café qui m'a mis sur la piste. Ça ne pouvait pas venir de ma mère : elle ne se levait jamais si tôt. On entendait de la musique provenant de la radio. De la musique classique.

Quelque chose cuisait au four, ça sentait la pâtisserie.

Alors tout m'est revenu, mais sans le sentiment d'appréhension habituel. Je me suis rappelé les écharpes de soie, la femme à la télé parlant d'un *meurtrier*. Pourtant, penser à Frank ne suscita en moi aucune crainte. Plutôt de l'attente et de l'excitation. Comme si, sous l'effet de la fatigue, j'avais laissé tomber en plein milieu le livre que j'étais en train de lire, ou la cassette vidéo que j'étais en train de regarder. Je voulais reprendre mon livre et découvrir ce qu'étaient devenus les personnages. Sauf que, maintenant, les personnages, c'était nous.

En descendant l'escalier, j'envisageai la possibilité de retrouver ma mère à l'endroit où je l'avais laissée la veille, ligotée à sa chaise. Mais la chaise était vide. Aux fourneaux, il y avait Frank. Il avait à l'évidence fabriqué une sorte d'attelle pour sa cheville, mais boiter ne l'empêchait pas de s'activer.

Je serais bien sorti nous acheter des œufs, me dit-il, mais j'ai réfléchi que ce n'était pas une bonne idée. De la tête, il indiquait le journal, qu'il avait dû ramasser sur le trottoir où le livreur l'avait lancé, très tôt le matin, avant le lever du soleil. Au-dessus de la pliure, à côté du gros titre annonçant une vague de chaleur pour le week-end, il y avait une photo, d'un visage à la fois familier et méconnaissable, le sien. L'homme de la photo avait un regard dur, méchant, et une série de numéros placardés sur la poitrine, alors que celui de notre cuisine portait un torchon noué autour de la taille et un gant de protection.

Les œufs, avec mes biscuits, ç'aurait été génial, dit-il.

Nous n'allons pas beaucoup chez l'épicier acheter des produits frais. On mange surtout des conserves et des surgelés.

Vous avez de la place, derrière, pour élever des poules. Avec trois ou quatre gentilles petites Rouges de Rhode Island, vous pourriez vous faire frire des œufs tous les matins. Un œuf frais pondu, c'est autre chose que ce qu'ils vous donnent dans les boîtes en carton. Un jaune d'or. Qui se dresse sur l'assiette comme la paire de nichons d'une danseuse de Las Vegas. Et les poules, de plaisantes petites fripouilles, elles aussi.

Il avait grandi dans une ferme, m'expliqua-t-il. Il pouvait nous installer un poulailler. Que je lui donne simplement des cordes. Pendant qu'il parlait, j'ai jeté un coup d'œil au journal, mais je me suis dit que, si je semblais trop m'intéresser à l'histoire de son évasion et des recherches entreprises pour le retrouver, ça pourrait le blesser.

Où est maman ? lui ai-je demandé.

Peut-être que je devais m'inquiéter ? Frank n'avait pas l'air d'un type capable de nous faire du mal, mais une image me traversait brusquement l'esprit : ma mère dans la cave, enchaînée à la chaudière, bâillonnée par le foulard de soie. Ou dans le coffre de notre voiture. Ou dans la rivière.

Elle dort, me dit-il. Nous sommes restés très longtemps à bavarder hier soir. Mais ça serait peut-être gentil que tu lui portes une tasse de café. Est-ce qu'elle aime prendre son café au lit ?

Comment je l'aurais su ? La question ne s'était jamais posée.

À moins qu'on la laisse faire un petit somme supplémentaire, dit-il.

Il sortit les biscuits du four, les posa sur une assiette, avec une serviette par-dessus pour les maintenir au chaud. Je te donne un tuyau, Henry. Ne coupe jamais un biscuit en deux avec un couteau. Il faut le séparer de façon à lui conserver toute sa consistance, les creux et les bosses. Imagine un jardin fraîchement retourné, dont le sol n'est pas complètement aplani. Ça permet au beurre de mieux pénétrer.

En général on n'a pas de beurre, ai-je dit. On se sert de margarine.

Voilà ce que j'appelle un crime.

Il se versa une tasse de café. Le journal reposait entre nous deux, nous n'avons ni l'un ni l'autre cherché à le prendre.

Je ne t'en veux pas de t'inquiéter, tu sais. N'importe quelle personne sensée en ferait autant. Simplement, je veux te dire que l'histoire est plus compliquée que celle que raconte le journal.

N'ayant rien à répondre à cela, je me suis versé un verre de jus d'orange.

Tu as des projets pour ce long week-end ? Barbecue, sport, ainsi de suite ? Ils disent qu'il va faire sacrément chaud. Temps idéal pour aller à la plage.

Non, rien de spécial. Dîner avec mon père comme tous les samedis, c'est à peu près tout.

C'est quoi, cette histoire, de toute façon ? Comment un type peut-il laisser partir une femme comme ta mère ?

C'est lui qui est parti, avec sa secrétaire.

Malgré mes treize ans, j'étais conscient de l'affreuse banalité de ce que je venais de dire. Juste un constat ordinaire, comme on admet qu'on a pissé dans son pantalon ou qu'on a volé à l'étalage. Une infraction mineure, sans aucun intérêt. Juste pitoyable.

Je ne voulais pas t'offenser, mon garçon. Mais si c'est ce qu'il a fait, alors bon débarras. Un type comme lui ne mérite pas une femme comme elle.

Quand ma mère est apparue ce matin-là, il y avait longtemps que je ne l'avais vue en si bonne forme. Ses cheveux, habituellement retenus par un élastique, lui tombaient sur les épaules et semblaient plus duveteux que d'habitude, comme si elle avait dormi sur un nuage. Elle portait un corsage qu'à ma connaissance elle n'avait encore jamais mis – blanc imprimé de fleurs, le bouton du haut défait. Ce qui paraissait non pas excitant – je pensais à ce que Frank avait dit à propos des girls de Las

Vegas – mais attrayant, séduisant. Elle avait mis des boucles d'oreilles et du rouge à lèvres, et s'était parfumée – je l'ai senti en m'approchant. Un effluve de citron.

Il lui a demandé si elle avait bien dormi. Comme un bébé, a-t-elle dit, puis elle a ri.

Je ne sais pas pourquoi on dit ça, a-t-elle ajouté, vu le nombre de fois où les bébés se réveillent la nuit.

Elle lui a demandé s'il avait des enfants.

Un seul. Il aurait dix-neuf ans maintenant s'il avait vécu. Francis junior.

Certaines personnes, du genre de ma belle-mère, Marjorie, se seraient alors récriées, auraient affecté leur compassion. Elles auraient demandé ce qui s'était passé, auraient affirmé – ça, c'est pour les croyants – que le fils de Frank avait à coup sûr gagné la meilleure place. Ou auraient parlé d'une de leurs connaissances qui, elle aussi, avait perdu un enfant. C'est un truc qui m'avait frappé récemment : l'habitude qu'ont les gens de s'emparer des problèmes des autres et de les rapporter à leur propre situation.

Ma mère ne fit rien de tout cela, mais l'expression de son visage suffisait. L'instant se répétait, celui de la veille quand il lui donnait à manger du chili et qu'il portait le verre de vin à ses lèvres, où j'avais eu l'impression qu'ils n'avaient plus besoin des mots ordinaires, qu'ils avaient adopté un tout autre langage. Il savait qu'elle avait de la peine pour lui, elle savait qu'il comprenait ce qu'elle ressentait. Même chose quand elle s'est assise sur la chaise qu'il lui avait préparée – celle de la veille – et qu'elle lui a tendu les poignets pour qu'il les rattache avec le foulard.

Je ne crois pas que ce soit nécessaire, Adele, a-t-il dit en repliant soigneusement les foulards, et en les posant au-dessus d'une pile de boîtes de thon. Comme ferait le pape pour ranger un de ces habits spéciaux que portent les papes.

Je n'ai plus l'intention de m'en servir, dit Frank. Mais si un jour venait où vous devriez affirmer que je vous ai ligotée, vous pourriez passer sans problème au détecteur de mensonge.

J'ai eu envie de demander quand ce jour viendrait. Qui lui ferait passer ce test ? Où serait-il, lui, pendant ce temps ? Et à moi, quelles questions on me poserait ?

Ma mère a hoché la tête. Qui vous a appris à faire ces biscuits ? a-t-elle simplement dit.

Ma grand-mère. C'est elle qui m'a élevé après la mort de mes parents.


Ils avaient eu un accident de voiture. Lui, Frank, avait sept ans. Tard dans la nuit, en rentrant d'une visite à leur famille de Pennsylvanie, ils avaient dérapé sur une plaque de verglas. La Chevrolet s'était jetée contre un arbre. À l'avant, son père et sa mère morts – sa mère avait survécu quelques minutes, il se rappelle l'avoir entendue gémir pendant qu'on s'efforçait de la sortir de l'habitacle, son père avait été tué sur le coup. Frank, assis à l'arrière – souffrant seulement d'une fracture du poignet – avait tout vu. Il y avait aussi une petite sœur – en ce temps-là les gens roulaient en tenant leurs bébés sur les genoux.

Nous sommes restés un moment sans rien dire. Peut-être que ma mère cherchait simplement sa serviette de table, sa main a effleuré celle de Frank et s'est attardée une seconde.

Je n'ai jamais mangé d'aussi bons biscuits, a-t-elle soupiré. Peut-être que vous me direz votre secret.

Je vous dirai probablement tout, Adele, si on m'en laisse le temps.

Il me demanda si je jouais au baseball. Plus exactement il voulait savoir quelle position je préférais, n'imaginant pas que je pouvais n'en aimer aucune.

J'ai joué une saison de la Little League, mais c'était terrible. Je n'ai pas attrapé une seule balle tout le temps que j'ai joué défenseur gauche. Ils ont tous été contents quand j'ai abandonné.

Je parie que c'est parce que tu n'as pas eu un bon entraîneur. Ta mère semble avoir de nombreux talents, mais je doute que le baseball en fasse partie.

Mon père est bon en plein de sports. Il joue dans une équipe de softball.

Justement. Le softball. À quoi tu peux t'attendre ?

Le fils de sa nouvelle femme est lanceur. Mon père le fait travailler tout le temps. Avant il m'emmenait avec eux sur le terrain pour que je m'entraîne à lancer des balles, mais je suis complètement nul.

Je crois qu'on pourrait essayer un peu toi et moi aujourd'hui, si tu trouves une minute. Est-ce que tu as un gant ?

Lui n'en aurait pas, mais ça ne posait pas de problème. Il avait remarqué un grand espace libre derrière la maison, au-delà des limites de notre propriété, où on pouvait travailler sa défense.

Je croyais qu'on venait juste de vous opérer de l'appendicite, ai-je dit. Je croyais que vous nous reteniez prisonniers. Qu'est-ce qu'il se passera si ma mère ou moi on file pendant que vous aurez le dos tourné ?

Eh bien, ce sera votre vraie punition. Vous devrez retourner dans le monde.

Ensuite, voilà ce que nous avons fait : il a reluqué notre jardin pour trouver l'endroit où parquer les poulets. Le froid allait arriver, mais avec suffisamment de paille, les poulets supportaient très bien l'hiver. Tout ce qu'il leur fallait, c'était un corps tiède sous lequel se blottir, comme nous tous.

Il a examiné notre tas de bois et a dit que le type qui affirmait avoir livré un stère nous avait volés.

Je couperais bien ces bûches pour vous mais je risquerais de bousiller mes points de suture. Ça doit être rudement douillet ici quand la neige tombe et que le poêle est allumé.

Il a nettoyé les filtres du chauffe-eau et changé l'huile de la voiture. Il a aussi remplacé les bougies.

Ça fait combien de temps que vous n'avez pas vérifié tout ça, Adele ?

Elle s'est contentée de le regarder.

Tant que nous y sommes, Henry, je parierais que personne ne t'a montré comment changer un pneu, pas vrai ? Je vais te dire une chose : tu ne dois pas attendre que la situation se présente pour apprendre. Surtout s'il y a une jeune fille dans la voiture à côté de toi, que tu veux impressionner. Tu dois savoir. Ça et autre chose.

Il a fait la lessive. Et le repassage. Il a non seulement lavé le carrelage, il l'a ciré. Il a cherché dans le garde-manger ce qu'il pouvait préparer pour le déjeuner. Du potage. Il commencerait avec une boîte de Campbell, qu'il agrémenterait. Dommage que nous n'ayons pas fait pousser du basilic. L'année prochaine, peut-être. En attendant, il y avait l'origan.

Puis il m'a emmené dans le jardin, en emportant la balle de baseball qu'il avait piquée la veille au Pricemart.

Pour commencer, a-t-il dit, je vais voir comment tu places tes doigts sur les coutures.

Penché sur moi, il a posé ses longs doigts sur les miens. Voilà ton premier problème : tu tiens mal la balle.

Nous n'allons pas lancer aujourd'hui, a-t-il dit, après m'avoir montré la bonne façon de s'y prendre, *sa* façon. Sa cicatrice était encore trop fraîche. L'idée, c'était de me familiariser avec cette sensation. Que je tripote la balle. Que je la jette en l'air, légèrement, tout en marchant.

La nuit, dit-il, j'aimerais que tu places ton gant sous ton oreiller. Pour respirer l'odeur du cuir. Ça te maintiendra en forme.

Nous avions regagné la cuisine. Ma mère, genre femme pionnière, ou semblant tout droit sortie d'un vieux western, entreprit de raccommoder le pantalon de Frank, déchiré pendant sa fuite. Elle aurait bien voulu le laver, mais il n'aurait plus rien eu à se mettre. Elle commença par éponger le sang avec un chiffon mouillé, cependant que, assis sur une chaise, enveloppé d'une serviette de bain, il attendait qu'elle ait fini.

Vous vous mordez la lèvre en cousant, remarqua-t-il. Vous l'a-t-on déjà dit ?

Non, pas plus ce détail que les autres qu'il observa ce jour-là. Son cou, les jointures de ses doigts – qui ne portaient aucun bijou, quel dommage quand on a de si jolies mains. Plus une cicatrice sur un genou, que moi-même je n'avais jamais vue.

Comment vous êtes-vous fait ça, chérie ? demanda-t-il, comme si l'appeler ainsi était la chose la plus naturelle du monde.

En répétant un numéro de danse à mon cours. Pour le *Stars and Stripes Forever*. J'ai réussi à dégringoler de la scène.

Il embrassa la cicatrice.

À un moment en fin d'après-midi – nous avions bu notre potage, nous avions joué aux cartes et il m'avait appris un tour de passe-passe – faire sortir un cure-dents de mon nez –, on a frappé à la porte. Frank connaissait déjà suffisamment notre mode de vie pour savoir que c'était inhabituel. J'ai vu battre la veine de son cou. Ma mère a regardé par la fenêtre : pas de voiture arrêtée. Quiconque frappait était venu à pied.

Va ouvrir, Henry. Dis que je suis occupée.

C'était Mr Jervis, notre voisin un peu plus loin dans la rue, avec un seau plein de pêches d'arrière-saison.

Nous en avons tant, nous ne savons plus quoi faire avec. J'ai pensé que ta mère, elle, saurait les utiliser.

J'ai pris le seau. Mr Jervis restait sur le porche, comme s'il voulait ajouter quelque chose.

Sacré week-end qui s'annonce. Ils disent qu'il fera plus de trente-cinq degrés demain.

Ouais. J'ai vu ça dans le journal.

Nous attendons nos petits-enfants dimanche. Si le cœur t'en dit, tu seras le bienvenu. Pour te rafraîchir dans la piscine.

Ladite piscine, à l'arrière de la maison dans le jardin, ne servait que lorsque leur fils et sa famille venaient les voir. Il y avait une fille d'à peu près mon âge, harnachée d'un masque et d'un tube, et qui se prétendait androïde, et un garçon d'environ trois ans, qui probablement pissait dans l'eau. Ça ne me tentait pas.

J'ai remercié Mr Jervis.

Ta mère est là ? Question inutile, non seulement parce que notre voiture était garée devant la maison, mais parce que tout le monde dans notre rue devait savoir que ma mère n'allait quasiment jamais nulle part.

Elle est occupée.

Il faudrait que tu lui dises, au cas où elle n'aurait pas entendu la nouvelle. Il y a un type en liberté, qui s'est sauvé de la prison de Farmington. Ils ont dit à la radio qu'il a été vu pour la dernière fois au centre commercial, et qu'il se dirigeait vers la ville. Comme personne ne l'a pris en stop et qu'on ne signale pas de voiture volée, il doit toujours être dans le coin. Ma femme est dans tous ses états, elle est convaincue qu'il vient droit chez nous.

Ma mère est en train de coudre.

Je voulais juste la prévenir. Vu que vous êtes seuls. S'il y a un problème, tu donnes un coup de grelot.

# 7

Après le départ de Mr Jervis, je suis revenu dans la cuisine. Ça devait faire à peine cinq minutes que je l'avais quittée, mais j'ai eu l'impression en y mettant les pieds que je cassais quelque chose. Comme la fois où j'étais entré dans la chambre de mon père, dans notre ancienne maison, et que j'avais trouvé Marjorie, assise sur le lit avec le bébé, le chemisier déboutonné et un sein à l'air, et une autre fois où on avait quitté l'école avant l'heure parce qu'une expérience de chimie avait mal tourné et que ça sentait le soufre dans tout le bâtiment, et qu'à la maison, ma mère avait mis un disque si fort qu'elle n'avait même pas entendu la porte claquer derrière moi et que je l'avais surprise en train de danser dans le living. Pas une de ces danses habituelles qu'elle essayait de m'apprendre. Non, elle tourbillonnait autour de la pièce comme les derviches que j'avais vus dans un numéro spécial du *National Geographic*. Eh bien, quand je suis rentré avec le panier de pêches, elle et Frank avaient cet air-là. Comme s'ils étaient les deux seules personnes au monde.

Ils savent pas quoi en faire tellement ils en ont, ai-je dit. Les Jervis.

Le reste, ce qui concernait l'évasion de la prison, je l'ai gardé pour moi.

Frank était toujours assis sur la chaise près du réfrigérateur, enveloppé de la serviette. Ma mère tenait son pantalon, mais sans coudre, l'aiguille ne bougeait pas. Ils se regardaient.

J'ai pris une pêche et je l'ai lavée. Ma mère ne croyait pas aux germes, moi si. Les germes, disait-elle, c'est un truc inventé pour nous détourner des véritables sujets d'inquiétude. Un germe, c'est un élément naturel. L'inquiétant, c'est ce que font les gens.

Bonne pêche, ai-je dit.

Frank et ma mère n'avaient pas bougé, mais elle s'était remise à coudre. Dommage qu'elles soient si mûres, a-t-elle remarqué. On n'arrivera jamais à toutes les manger.

Bon, maintenant voilà ce qui nous attend, a dit Frank. Sa voix, naturellement basse et profonde, semblait avoir baissé d'une demi-octave supplémentaire, on aurait cru que Johnny Cash était entré dans la cuisine.

Nous avons un sérieux problème sur les bras.

Je pensais à ce qu'avait dit Mr Jervis. Les gens qui recherchaient le prisonnier évadé. Barrages routiers. Hélicoptères survolant le barrage hydraulique, où quelqu'un croyait avoir vu un homme répondant à la description, sauf que maintenant on racontait qu'il avait une cicatrice sur un œil et peut-être un tatouage sur le cou représentant un couteau ou une Harley, ou un autre truc du même genre. Le moment était venu où il allait sortir un pistolet ou un couteau, passer son bras mince et musclé autour du cou de ma mère, qu'il avait fini d'admirer, appuyer la pointe du couteau sur la peau et nous obliger à monter dans notre voiture.

Nous étions son ticket de franchissement des frontières de l'État. J'avais regardé suffisamment d'épisodes de *Magnum P.I.* pour savoir que l'histoire se déroulait toujours comme ça. Sauf que Frank s'est retourné vers nous, et qu'il était en train de nouer un tablier autour de sa taille.

Ces pêches, dit-il d'une voix encore plus grave, il faut leur trouver un emploi avant qu'elles pourrissent.

Qu'est-ce que vous avez en tête ? a demandé ma mère, sur un ton que je ne me rappelais pas avoir jamais entendu. Elle riait, pas à la façon de quelqu'un à qui vous racontez une blague, plutôt comme quelqu'un tout simplement de bonne humeur ou heureux de vivre.

Je vais nous faire une tarte aux pêches, selon la recette de ma grand-mère.

D'abord, il fallait qu'il remette son pantalon.

J'ai pelé les pêches et les ai coupées en morceaux.

La garniture, c'est facile, a dit Frank. L'important, c'est la pâte.

À la façon dont il empoignait son bol, vous compreniez que cet homme avait un certain nombre de tartes derrière lui.

Première chose : maintenir les ingrédients aussi frais que possible. Par une chaleur comme celle d'aujourd'hui, c'est un défi. Il faut aller vite. Si le téléphone sonne pendant que vous faites la pâte, vous ne répondez pas. (Problème qui ne risquait guère de se poser chez nous, où il se passait parfois des jours sans que personne appelle, autre que mon père confirmant notre dîner du samedi soir.)

Tout en préparant les ingrédients, Frank nous parla de sa vie dans la ferme de ses grands-parents. Principalement de sa grand-mère, après l'accident de tracteur de son grand-père. C'est elle qui l'avait élevé à partir de l'âge de dix ans. Une femme dure, mais juste. Ne pas faire son travail entraînait des sanctions immédiates, sans discussion possible. Nettoyer l'étable pendant tout le week-end. Point.

Le soir, elle lui lisait des livres. *Les Robinson, famille suisse. Robinson Crusoé. Le Comte de Monte Cristo.* Il n'y avait pas la télévision en ce temps-là, mais on n'en avait pas besoin, tant elle lisait bien. Elle aurait pu faire de la radio.

Elle lui avait dit de ne pas s'enrôler pour le Vietnam. Elle comprenait, avant tout le monde, que personne n'allait gagner cette guerre. Lui, il se croyait plus malin que tout le monde. Qu'il serait réserviste et bénéficierait du *G.I. Bill*[1] pour faire des études universitaires. Avant même qu'il s'en rende compte, il avait eu dix-huit ans et s'était retrouvé à bord d'un avion pour Saigon. C'était deux semaines avant le déclenchement de l'offensive du Têt. Des douze hommes de sa compagnie, sept rentrèrent au pays dans une boîte.

J'ai voulu savoir s'il avait toujours sa plaque d'immatriculation. Ou des souvenirs. Une arme ennemie, un truc de ce genre.

---

1. Loi fédérale votée sous Roosevelt permettant aux garçons revenus de la guerre de reprendre ou de faire des études universitaires, grâce à une aide de l'État (*NdT*).

Je n'ai besoin d'aucun truc pour me rappeler cette époque-là, a-t-il dit.

Frank avait fait suffisamment de tartes dans sa vie – aucune récemment, mais ça ne s'oublie pas plus que de savoir monter à bicyclette – pour n'avoir pas besoin de mesurer la farine, cependant, pour mon information, il me dit qu'il conseillait de commencer avec trois tasses. On obtenait ainsi un excédent de pâte, de quoi faire un chausson par exemple, ou, si une petite drôlesse se trouvait dans les parages, de quoi lui filer la pâte pour qu'elle la découpe en différentes formes.

Il ne mesurait pas non plus le sel, mais une cuiller à café remplie aux trois quarts devait suffire. Une pâte de tarte, ça pardonne les erreurs, Henry, à l'exception d'une seule : l'absence totale de sel. C'est comme la vie : les petites choses se révèlent parfois les plus importantes.

Un outil qu'il regrettait de ne pas avoir, c'était le batteur de sa grand-mère. Certes on en trouve n'importe où – dans un banal supermarché –, mais pas comme celui de sa grand-mère, avec son manche en bois de couleur verte.

Pour commencer, verser la matière grasse dans le bol avec la farine et le sel. Ensuite fouetter le mélange, en cas d'urgence et d'absence de batteur (la situation actuelle), deux fourchettes feront l'affaire.

Et à propos de la matière grasse, il avait quelques indications à me donner. Certaines personnes préfèrent le beurre, pour son goût évidemment, mais rien ne vaut le saindoux pour une pâte feuilletée. Cette controverse, Henry, tu la rencontreras toute ta vie, et tu auras autant de chances de convaincre les tenants du beurre d'adopter le saindoux que de persuader un démocrate de voter républicain, et vice versa.

Et lui, ai-je demandé, qu'est-ce qu'il choisissait ? Aussi incroyable que ça puisse paraître, nous possédions du saindoux dans le garde-manger – enfin, presque, parce que ce n'était pas du vrai, mais de la graisse végétale achetée par ma mère un jour qu'elle s'était mis en tête de faire des frites et donc de la friture. Au bout de dix frites, elle en a eu assez et elle est allée se coucher. Voilà pourquoi la boîte bleue de Crisco se trouvait toujours sur l'étagère, en supposant que Frank ne penche pas pour le beurre.

Je penche pour les deux, dit-il, plongeant la spatule dans la graisse blanche et lâchant l'équivalent d'une grosse cuillerée dans le bol contenant la farine. Le beurre aussi était important, alors il m'a dépêché en emprunter chez les voisins. Une grande première pour ma mère et moi. En accomplissant cet acte de bravoure, je me suis pris pour un personnage de film TV, ces vieux téléfilms où les gens n'arrêtaient pas de débarquer les uns chez les autres et de faire des tas de trucs drôles ensemble. Je nous ai pris pour des gens normaux.

J'ai donc rapporté le beurre, il en a prélevé un gros morceau, qu'il a éparpillé en petits bouts sur la farine. Toujours sans rien mesurer, bien entendu. J'ai quand même voulu savoir quelle quantité il fallait utiliser, et il a secoué la tête.

C'est une question d'instinct, Henry. Si tu suis de trop près la recette, tu perds la capacité de sentir avec tes terminaisons nerveuses ce qui convient. Comme ces gens qui veulent analyser les mouvements de Nolan Ryan quand il lance la balle, ou les jardiniers qui passent leur temps à lire des ouvrages sur la meilleure méthode de faire pousser des tomates au lieu de plonger la main dans la terre.

Ta mère aurait sûrement quelque chose à dire là-dessus, si on le rapporte au monde de la danse. Et à bien d'autres domaines, dont nous ne parlerons pas maintenant.

Il l'a regardée. Elle lui a rendu son regard. Et n'a pas détourné les yeux.

Pourtant, il y avait une chose qu'il voulait me dire, a-t-il ajouté, qui avait un rapport avec les bébés. Il n'était certes pas expert en la matière, mais, pendant un court laps de temps, il y avait des années de cela, il s'était occupé de son fils, et cette expérience, plus que n'importe quelle autre, lui avait enseigné comme il est important de suivre son instinct. S'accorder à une situation avec ses cinq sens, avec son corps, pas son cerveau. Un bébé pleure la nuit, et tu vas le prendre. Il hurle peut-être si fort que son visage devient rouge comme un radis, ou qu'il suffoque. Qu'est-ce que tu vas faire, aller chercher un livre et lire ce qu'a écrit un expert sur le sujet ?

Tu poses la main sur son corps et tu lui caresses le dos. Tu lui souffles dans l'oreille. Tu le presses contre toi, chair contre chair, et tu vas marcher dehors, où l'air de la nuit l'environnera, en plein clair de lune. Tu siffleras peut-être. Ou danseras. Ou… prieras.

Parfois, un peu d'air frais, c'est ce qu'aurait recommandé le docteur. Parfois poser ta main chaude sur son ventre. Parfois ne rien faire du tout, c'est ce qu'il y a de mieux. Simplement être à l'écoute. Calmer les choses. Débrancher le reste du monde, qui n'a aucune importance. Sentir ce que l'instant exige.

Ce qui, pour en revenir à la tarte, peut signifier plus de saindoux que de beurre dans certaines occasions. Ou l'inverse. Même chose pour la quantité d'eau, qui varie en fonction du temps, bien entendu. Je parle évidemment d'eau glacée.

Utilise le minimum d'eau possible, poursuivit Frank. La plupart des gens en mettent trop. Ils obtiennent une boule de pâte d'allure parfaite, mais il n'y a pas de quoi se rengorger. Ils finiront avec une croûte molle, si tu vois ce que je veux dire. Autant manger du carton.

En conclusion, ne jamais oublier ce précepte : on peut toujours ajouter de l'eau à une pâte, on ne peut jamais en retirer. Moins il y en a, plus la pâte est croustillante.

Je l'écoutais de mes deux oreilles, et il me prêtait au moins autant d'attention qu'à la tarte que nous fabriquions ensemble. Il possédait cette capacité de concentration qui fait que le reste du monde semble ne pas exister, et qui interdit toute distraction à l'élève. Pourtant, de temps en temps, je regardais ma mère qui, debout derrière la table, nous observait.

Si différente de ce qu'elle était habituellement que j'aurais pu la prendre pour quelqu'un d'autre.

D'abord, elle paraissait plus jeune. Appuyée au plan de travail, elle mordait dans une pêche, si mûre que le jus lui dégoulinait sur le menton pour tomber sur le chemisier à fleurs, mais elle ne semblait pas s'en apercevoir. Elle hochait la tête et souriait. Elle s'amusait, voilà la réalité. On avait l'impression qu'un courant électrique circulait entre eux deux. Il me parlait, m'écoutait, avec le maximum d'attention, pourtant il se passait quelque chose, souterrainement, un truc indéfinissable pour la plupart des gens. Comme ces sons, si aigus que seuls quelques rares individus sont capables de les entendre.

Il me parlait, mais c'est à elle qu'il s'adressait en réalité. Et elle comprenait le message.

Ne croyez pas qu'il en avait fini avec la leçon de cuisine. Maintenant il m'expliquait comment creuser un puits au centre du bol, y verser juste quelques gouttes d'eau et pétrir la pâte en boule – pas d'une rondeur parfaite, car ça signifierait qu'elle était trop aqueuse. Qu'elle se tienne assez pour permettre de l'étaler.

Nous n'avions pas de rouleau à pâtisserie, peu importe, dit Frank, une bouteille de vin ferait l'affaire, à condition de décoller l'étiquette. Il me montra le geste – rapide, de petits coups secs, du centre vers l'extérieur. Puis il m'obligea à essayer. La seule façon d'apprendre, dit-il.

Notre pâte, quand nous l'avons étalée sur le plan de travail, semblait ne pas pouvoir se tenir du tout, vaguement en forme de cercle, à certains endroits même, elle se détachait en morceaux, qu'il pressait du plat de la main.

La paume, dit-il, a la parfaite consistance et la parfaite température. Les gens achètent des tas d'ustensiles compliqués, alors que parfois ils possèdent le meilleur qui soit, attaché à leur propre corps. Toujours là quand on en a besoin.

Remplir le fond du moule à tarte n'était pas difficile. Frank et moi nous avons étalé la pâte sur du papier sulfurisé jusqu'à ce qu'elle devienne aussi fine qu'il le désirait, puis, en tenant le papier, il a appliqué le moule dessus, a renversé le tout et enlevé le papier, presto.

Ensuite, il m'a laissé le soin de la garniture. D'abord saupoudrer de sucre et d'un peu de cannelle.

Ce qui serait bien, dit-il, ce serait d'avoir du tapioca minute pour absorber les sucs. Nous en avions.

C'est l'ingrédient secret de ma grand-mère, dit-il. En répandre un peu sur la pâte avant de mettre la garniture – comme on verse du sel sur une route gelée en hiver – plus trace de la moindre humidité dans la pâte. Ce truc absorbe le jus sans laisser un goût de Maïzena, tu vois ce que je veux dire, Henry? Ces tartes à la consistance de colle qu'on trouve dans les rayons de supermarché.

Je voyais. Nous en avions une centaine au congélateur.

Puis je me suis attaqué à la pâte qui allait former la croûte du dessus.

Qui devait être plus ferme que celle du dessous, parce que nous allions devoir la soulever. C'est drôle, dit-il, la façon dont les conseils vous restent dans la tête. Même vingt-cinq ans après que quelqu'un vous les a donnés.

Ne jamais trop manipuler la pâte. Autre précepte de sa grand-mère.

Il l'avait compris de travers, nous dit-il. Il avait cru qu'elle parlait du blé[1]. Mais non, fit-il, je plaisante. Il avait raison de préciser parce que les muscles de sa mâchoire étaient si tendus qu'ils semblaient n'avoir jamais pu former l'ombre d'un sourire.

Nous avons ensuite étalé cette croûte sur du papier sulfurisé. Sauf qu'il n'était pas question cette fois-ci de renverser le moule dessus, puisqu'il était plein de pêches. Donc il faudrait soulever le cercle et, hop, le poser au sommet. L'espace d'une seconde, notre préparation croustillante resterait suspendue en l'air. Un instant d'hésitation dans le geste, et c'était la catastrophe, la pâte se brisait. Mais trop de hâte, et on risquait de manquer la cible.

Il fallait une main ferme, mais aussi un cœur solide. C'était une question de foi et d'engagement, conclut Frank.

Pendant tout ce temps, lui et moi avions travaillé seuls, ma mère se contentait d'observer. Maintenant il lui posait une main sur l'épaule.

Je crois que vous pouvez maîtriser ça, Adele.

Un jour, il y avait longtemps de cela – difficile d'imaginer que ça n'avait pas toujours été le cas –, les mains de

---

1. En argot, le mot « pâte » signifie aussi « blé » (*NdT*).

ma mère avaient commencé à trembler. En ramassant de la monnaie sur un comptoir, ou en hachant des légumes – les rares occasions où nous avions un produit frais à hacher –, parfois sa main se mettait à trembler si violemment qu'elle était obligée de reposer le couteau. Je mangerais bien de la soupe ce soir, pas toi, Henry?

Quand elle se mettait du rouge à lèvres – les rares fois où nous sortions –, le tracé ne suivait pas exactement le contour des lèvres. C'était probablement la raison qui lui avait fait abandonner la pratique du violoncelle. Sous ses doigts les cordes vibraient naturellement, mais elle avait du mal à tenir fermement l'archet. Le genre de chose qu'elle avait essayé de faire aujourd'hui – raccommoder le pantalon de Frank – constituait un défi. Enfiler une aiguille, impossible. C'est moi qui m'en acquittais.

À présent, elle venait se placer à côté de Frank, qui tenait toujours la bouteille de vin en guise de rouleau à pâtisserie.

Je vais essayer, dit-elle, en saisissant le cercle de pâte à deux mains et en le pliant suivant les indications de Frank. Elle retint son souffle. Le cercle de pâte atterrit juste à l'endroit qu'il fallait, au-dessus des pêches.

Parfait, chérie, dit-il.

Puis, suivant ses instructions, j'ai pincé les bords tout du long, j'ai fixé la croûte du haut à celle du bas, je l'ai badigeonnée de lait et saupoudrée de sucre. J'ai piqué avec une fourchette en trois endroits, pour laisser s'échapper la vapeur. Il a glissé la tarte dans le four.

Dans trois quarts d'heure, elle sera cuite, annonçat-il. Ma grand-mère disait toujours : Même l'homme le plus riche d'Amérique ne mangera pas ce soir une tarte meilleure que la nôtre.

Je lui ai demandé où se trouvait sa grand-mère, maintenant?

Décédée, a-t-il dit. Son ton suggérait que je ferais mieux de ne pas poser davantage de questions.

# 8

Cet été-là, mon corps avait changé. Le principal n'étant pas que j'avais grandi. Ma voix était devenue plus grave, mais évoluait sur un registre si fragile que, chaque fois que j'ouvrais la bouche pour parler, je ne savais pas quelle hauteur de sons il en sortirait. Si mes épaules étaient toujours aussi maigres, le cou s'était un peu épaissi, des poils commençaient à pousser sous les bras et plus bas, à l'endroit que je ne pouvais pas nommer.

Là aussi, il y avait du changement. J'avais vu mon père nu, et j'avais eu honte de mon corps. Riquiqui, m'appelait-il en riant. Mais Richard était plus jeune que moi, et en le voyant nu lui aussi sous la douche, j'avais eu confirmation de ce que j'avais deviné. Quelque chose clochait chez moi. J'étais un garçon élevé par une femme. Élevé par une femme qui professait que tous les hommes sont des égoïstes. Des êtres cruels, infidèles, et à qui on ne peut pas se fier. Tôt ou tard, un homme vous brise le cœur. Qu'est-ce que je devenais moi, avec tout ça, garçon et fils unique de ma mère ?

Puis, au printemps, ça s'était produit pour la première fois : un raidissement dans l'entrejambe – ce que ma mère appelait mes parties intimes – qui tendait le tissu de mon pantalon à des moments imprévisibles de la journée, indépendant de ma volonté. Rachel McCann se haussait pour écrire au tableau un problème de maths, et sa jupe remontait sur sa cuisse, ou bien je voyais, un bref instant, le fond de la petite culotte de Sharon Sunderland, assise au-dessus de moi sur les gradins en amphi, à moins que, placé derrière une autre, j'aperçoive une bretelle ou une fermeture de soutien-gorge à travers le corsage, ou encore mon prof de sciences sociales, Mrs Evenrud, se penchait sur moi pour voir comment je présentais ma bibliographie, et tac, ça y était, on aurait dit qu'une partie nouvelle de mon anatomie naissait dans mon pantalon à la place de la chose inutile qui s'y tenait auparavant.

Ce qui aurait pu me rendre heureux ou fier se révélait une nouvelle source de gêne. Et si ça se voyait ? Désormais, dans les couloirs de l'école, je vivais dans la peur de croiser des jolies filles, des filles aux fesses rondes, à la poitrine saillante et qui sentaient bon. J'avais lu un article sur une nouvelle méthode d'attraper les pillards de banques, selon lequel les billets étaient imprégnés d'une substance chimique qui devenait active quand on les sortait du sac, et qu'une sorte de bombe sous pression lâchait un jet de peinture bleue indélébile sur le visage des voleurs. C'est l'effet que me faisaient mes érections – preuve non dissimulable de ma misérable demi-virilité.

Le pire, pourtant, n'était pas ce qui se passait dans mon corps, mais ce que tramait mon cerveau. Toutes les nuits je rêvais de femmes. Je comprenais encore si mal le fonctionnement des rapports sexuels qu'il m'était très difficile de les visualiser, même si je savais qu'il existait un endroit dans le corps des femmes où pouvait s'introduire mon nouvel organe, à la façon dont un ivrogne fait irruption dans une soirée. L'idée ne m'était pas venue que quelqu'un pouvait désirer cette irruption, si bien que chaque scène que j'inventais me remplissait de honte et de culpabilité.

Certains de ces rêves revenaient continuellement : images de filles de mon école – mais jamais, à ma grande fureur, les membres de l'équipe des majorettes. Les filles qui envahissaient mes rêves étaient du modèle opposé et semblaient aussi mal à l'aise dans leur corps que moi dans le mien – Tamara Fisher, par exemple, qui, en classe de cinquième, était devenue obèse à peu près au moment où elle avait perdu sa mère, et qui maintenant, en plus de son ventre et de ses cuisses grasses et blanches, poussait devant elle les seins volumineux d'une femme et non d'une gamine de treize ans. Pourtant, c'était ces filles-là que je voulais voir. Je m'imaginais entrant dans leur vestiaire accidentellement et les surprenant en train de se changer, ou ouvrant la porte d'une cabine de w-c et tombant sur Olivia Brustein assise sur la cuvette, sa culotte baissée aux chevilles, et caressant l'endroit duveteux entre ses jambes. Les personnages de mes rêves, plutôt que beaux et séduisants, étaient pitoyables. Et moi-même encore plus qu'eux.

Dans un autre rêve récurrent, je courais autour d'une mare dans un champ, ou peut-être autour d'un arbre, à la poursuite de Rachel McCann, qui était nue. Je n'arrivais jamais à la rattraper, et nous tournions en cercle, indéfiniment. Je voyais ses fesses, l'arrière de ses jambes, mais je ne voyais jamais son visage, ni ses seins (petits, et pourtant qui m'attiraient), ni la chose sans nom à laquelle je n'arrêtais pas de penser.

Dans ce rêve, une idée me venait, ou plutôt venait au personnage. J'arrêtais brusquement de courir et faisais volte-face, si bien que Rachel McCann allait se diriger droit sur moi, et qu'enfin je réussirais à voir le visage. Tout en rêvant, je m'émerveillais de mon intelligence. Quelle brillante idée j'avais eue!

Sauf que ça ne se terminait jamais ainsi. Arrivé à cette partie du rêve, immanquablement je me réveillais, en général dans un lit mouillé de mes sécrétions, que je cachais à ma mère en retournant les draps, ou en les fourrant dans le bas du panier à linge, ou bien en les tamponnant avec de l'eau et en posant une serviette de toilette sur la tache.

J'ai fini par comprendre pourquoi Rachel ne se retournait jamais pour m'offrir sa nudité. Mon cerveau était incapable de fournir les images requises. Les seins, je connaissais, même si (sauf la fois où j'avais surpris Marjorie) ce n'était qu'en photo. Mais le reste – rien, le vide.

J'avais beau penser tout le temps aux filles, je ne parlais jamais à une seule, si ce n'est pour dire : pourrais-tu me rendre ma copie? Je n'avais ni sœur ni cousines. J'aimais la fille de la série *Happy Days,* une de celles de *Charlie's Angels* – pas celle que tout le monde jugeait la plus jolie, mais celle aux cheveux bruns, appelée Jill. J'aimais bien aussi une certaine Kerri, choisie comme *playmate* du mois dans un vieux numéro de *Playboy* que j'avais trouvé chez mon père et piqué en douce. En réalité, la seule personne de sexe féminin que je connaissais était ma mère. Toutes les idées que je pouvais me faire sur les femmes me ramenaient inévitablement à elle.

Ma mère, que les gens trouvaient jolie, même belle. Le jour où elle était venue à l'école me voir jouer dans la pièce, un garçon que je ne connaissais pas – un grand – m'avait arrêté dans la cour de récréation pour me dire : ta mère, elle est terrible. Et je me suis juste senti fier quand il a ajouté : Je parie que, dans quelques années, tous tes copains voudront la baiser.

Sa beauté, son corps de danseuse n'expliquaient qu'en partie l'effet qu'elle faisait sur les gens. Je crois qu'elle dégageait quelque chose, aussi fort qu'une senteur particulière, ou un graphisme sur le devant de son chemisier, signalant qu'il n'y avait aucun homme pour le moment dans sa vie. Des parents divorcés, beaucoup d'autres garçons que moi en avaient, mais ma mère c'était différent, elle semblait s'être retirée du jeu, comme ces femmes d'une culture étrangère ou d'une tribu africaine ou des Indiennes peut-être, dont j'avais probablement entendu parler, et dont la vie s'arrête avec la mort de leur mari, ou après qu'il les a quittées.

Depuis le temps que mon père l'avait quittée, elle n'était sortie qu'une fois avec un homme, à ma connaissance. Le type qui était venu réparer la chaudière à mazout avait passé toute la matinée au sous-sol, à taper sur les tuyaux et à insuffler de l'air dans les conduits. En remontant, et au moment de donner sa facture à ma mère, il s'était excusé d'avoir fait tant de poussière, qui avait dû se répandre dans toute la maison.

À ce que je vois, vous êtes pas mariée, a-t-il dit. Pas d'alliance.

Je faisais mes devoirs dans la cuisine, mais ça ne semblait pas le déranger que j'entende.

On doit se sentir bien seule parfois. Surtout en hiver.

J'ai mon fils, a-t-elle dit en me montrant. Elle lui a demandé s'il avait des enfants.

J'ai toujours voulu en avoir, mais ma femme s'est barrée. Maintenant elle a un gosse de quelqu'un d'autre.

Je me souviens d'avoir trouvé bizarre cette façon de s'exprimer. Je pensais que l'enfant d'une personne est à elle, c'est le sien, pas celui d'un autre. J'étais celui de ma mère. Maintenant, pourtant, je n'en étais plus si sûr. Est-ce que le bébé de Marjorie appartenait à mon père?

Vous aimez danser? lui a-t-il demandé. Parce qu'il y a une soirée au Moose Lodge, samedi prochain. Si vous êtes libre.

Aimait-elle danser? Il était tombé pile.


Le samedi soir il est venu avec des fleurs. Elle avait mis une de ses jupes de danse affolantes, moins tourbillonnante que celle qu'elle portait le jour où elle avait rencontré mon père et qui laissait voir son slip, juste assez pour accentuer les mouvements et montrer ses jambes.

Lui aussi s'était habillé. Pour travailler, il portait l'uniforme de la société qui l'employait, avec son nom – Keith – inscrit sur le côté gauche de la poitrine, maintenant il portait une chemise d'une espèce de tissu synthétique très fin qui collait au corps, et qu'il avait déboutonnée juste assez pour révéler un peu de toison, ce qui laissait supposer une arrière-pensée. Parce que j'avais vu ma mère se préparer, changer trois fois de vêtement avant de se décider, se planter longuement devant la glace pour se coiffer, je l'imaginais, lui, faisant bouffer ses poils afin qu'ils sortent par le haut de la chemise.

Mon père aussi avait plein de poils. Je lui ressemblais si peu que parfois je me demandais si j'étais vraiment son fils, et si ça n'avait pas toujours été Richard. Il y avait eu comme une erreur.

Elle ne prenait jamais de baby-sitter, ma mère. Elle n'en connaissait d'ailleurs aucune, compte tenu du fait qu'elle ne sortait pour ainsi dire jamais sans moi. De toute façon, me laisser avec une baby-sitter était plus dangereux que de me laisser seul. Comment être sûre que tous ces gens étaient vraiment aussi gentils qu'ils en avaient l'air ?

Je t'ai préparé un casse-croûte, me dit-elle. Elle me laissait aussi un livre qu'elle avait pris à la bibliothèque, sur la vie des anciens Grecs, plus une cassette racontant l'histoire d'un garçon qui avait débarqué sur une île du Pacifique sud après un naufrage et y avait passé trois ans seul avant qu'un cargo vienne le récupérer, plus un travail qu'elle pensait pouvoir m'intéresser et qui consistait à mettre dans des enveloppes toutes ses pièces de monnaie, avec la promesse que, lorsque nous les porterions à la banque (nous, c'est-à-dire moi, elle restant dans la voiture), je toucherais dix pour cent, soit trente-cinq cents, si j'avais de la chance.

Vous avez l'air d'une princesse, lui dit Keith. Je sais que ça paraît stupide, mais je ne connais même pas votre prénom. Au bureau de ma boîte, ils n'ont que votre nom de famille et votre numéro de compte.

Keith était jeune. Je l'étais trop moi-même pour estimer correctement la différence entre vingt-cinq ans et trente-cinq ans, si ça se trouve il n'en avait même pas vingt-cinq.

Remarquant mon cahier de classe sur la table, il s'exclama : oh, tu vas à Pheasant Ridge. C'est là que j'ai passé mon bac. Il cita une des profs qu'il avait eues, comme si je pouvais la connaître.

Moins d'une heure après leur départ pour la soirée, ma mère était de retour. Sans Keith.

La façon de danser de quelqu'un, ça t'apprend plein de choses sur lui, me dit-elle. Ce garçon n'a aucun sens du rythme.

Danser un slow, pour lui, ça consiste à se balancer sur place d'avant en arrière, et à te frotter le dos de haut en bas. En plus, il sent la chaudière. En plus, elle avait beau l'avoir prévenu que flirter ne l'intéressait pas, il avait essayé de l'embrasser avant qu'elle sorte de la voiture.

Il me semblait bien que ce genre de chose c'était pas mon truc, m'expliqua-t-elle, mais je me suis dit qu'il fallait au moins essayer une fois. Maintenant je sais. Sortir avec un homme, ça ne m'intéresse pas.

Ce qui intéressait ma mère, c'était une histoire d'amour. Improbable que le héros – si tant est qu'il existât – fréquente les soirées caritatives au Moose Lodge.

Puisque c'était le week-end du Labor Day, Frank suggéra que nous fassions un barbecue. Le problème étant que nous n'avions pas de viande au congélateur.

Je veux vous payer ce dîner, dit-il, mais je n'ai pas de liquide sur moi.

De ma dernière virée à la banque, il restait des tas de billets de dix dollars dans la boîte de crackers Ritz, au-dessus du frigo. Elle en a sorti trois. Et, alors qu'elle ne prenait habituellement la voiture que toutes les deux ou trois semaines, elle déclara qu'elle nous conduirait au magasin.

Je suppose que vous voulez venir, dit-elle à Frank, de peur qu'on s'enfuie.

Personne n'a ri. Le sentiment de malaise que me causait notre situation venait en partie de ce que je n'étais jamais sûr à cent pour cent de ce que Frank signifiait pour nous. On pouvait le prendre pour un invité venu de province, sauf que nous savions tous les trois comment il avait débarqué à la maison.

Le matin même, quand elle était descendue dans son chemisier à fleurs, les cheveux bouffants, il lui avait dit – après avoir posé le café et les biscuits devant elle – de ne pas essayer de jouer au plus malin.

Je ne voudrais pas être obligé de faire quoi que ce soit

que nous regretterions tous les deux, Adele. Vous savez ce que ça signifie.

On aurait cru entendre parler un de ces types dans les vieux westerns qu'on voit à la télé, le dimanche après-midi. Pourtant ma mère a hoché la tête et baissé les yeux, comme un gosse à l'école à qui le prof dit de cracher son chewing-gum.

Après avoir fait cuire la tarte, il avait glissé le couteau à éplucher dans sa poche. Notre couteau le plus aiguisé. Les foulards de soie étaient toujours là, posés sur un torchon près de l'évier. Il ne l'avait pas rattachée, mais il les montrait de la tête, inutile d'expliquer davantage, semblait-il dire. C'était évident pour eux, mais pas pour moi.

Je vivais dans cette maison. Elle était ma mère. Pourtant je me sentais comme un intrus. Il se passait quelque chose ici que je ne devais peut-être pas voir.

Il a pris le volant, elle le siège passager avant. Moi je me suis retrouvé sur la banquette arrière, qui n'avait jamais servi du plus loin que je m'en souvenais. Je pensais : c'est comme ça que ça se passe dans une famille normale. La maman, le papa, l'enfant. Ce que mon père aimait croire que nous formions, quand il venait me chercher avec Marjorie et ses nouveaux enfants, sauf que ces soirs-là j'aspirais à ce que ça se termine le plus vite possible, tandis que maintenant je le redoutais. Je ne voyais que le dos de ma mère, mais je savais que si je voyais son visage, il

montrerait cette expression qui m'était si peu familière. Une expression de bonheur.

Nous nous dirigions vers le supermarché, on faisait semblant d'oublier que Frank était recherché par la police, mais j'étais nerveux. Il portait sa casquette de baseball, la visière inclinée plus bas sur le front que la normale, me semblait-il. Je savais cependant que notre présence même constituait le meilleur moyen pour lui de se dissimuler. Ceux qui le cherchaient ne s'attendaient pas à le trouver en compagnie d'une femme et d'un gosse. De toute façon, il resterait dans la voiture. Son boitillement le rendait trop repérable.

Nous nous sommes garés sur le parking du supermarché, et ma mère m'a tendu les billets. Frank a passé en revue la liste des ingrédients qu'il lui fallait : steak haché, oignons, chips, glace pour manger avec la tarte.

J'ai aussi besoin d'un rasoir, a-t-il dit. Il préférait un rasoir à main, mais pas un de ceux de chez Safeway.

L'image m'est revenue brusquement : Frank, le bras passé autour du cou de ma mère, appuyant une lame contre sa joue, sur laquelle dégouline une petite goutte de sang rouge foncé. La voix de ma mère : fais ce qu'il te dit, Henry.

Et de la crème à raser, a-t-il ajouté. Je veux me faire propre pour vous deux. Je ne veux pas ressembler à un clodo.

Ou à un prisonnier évadé. Mais ça, nous l'avons simplement pensé.

Dans le magasin, les gens remplissaient leurs caddies pour le week-end. Pour une fois, ce n'était pas mon cas,

je n'aurais pas droit à la remarque de la caissière à la vue des conserves et des surgelés : chez toi, vous prévoyez un ouragan ou une attaque atomique ?

Dans la queue, la femme qui me précédait parlait avec son amie de la vague de chaleur. On annonçait quarante pour dimanche. La circulation sur la route de la plage risquait d'être infernale.

Tu as fini tes achats pour la rentrée des classes, Janice ? a demandé l'amie.

M'en parle pas. Trois jeans pour les garçons, deux jupes et des sous-vêtements, total quatre-vingt-dix-sept dollars.

La caissière était allée en ville la semaine dernière. Son mari l'avait emmenée voir *Cats*. Vous savez quoi ? Avec le prix des billets, on aurait mieux fait de s'acheter un climatiseur et de rester à la maison regarder la télé.

L'homme derrière moi avait fait cuire toute la journée les tomates de son jardin. Maintenant il achetait des bocaux de conserve. Une femme avec un bébé disait qu'elle avait l'intention de passer le week-end dans la piscine gonflable des enfants.

Tu as entendu parler du type qu'on recherche et qui a sauté par la fenêtre de la prison ? demanda l'amie de la femme-aux-achats-de-rentrée. Je n'arrive pas à me sortir sa figure de la tête.

Il est probablement à moitié chemin de la Californie, maintenant.

Ils finiront par l'attraper. Ils les rattrapent toujours.

Le pire, c'est de savoir que ces gens-là n'ont plus rien à perdre. Qu'ils sont prêts à faire n'importe quoi. La vie humaine, pour eux, ça vaut dix cents.

Son amie voulait surenchérir, mais j'ai manqué la suite du dialogue. J'avais atteint la caisse, j'ai payé et je suis sorti en courant. Il m'a fallu une minute pour repérer la voiture. Frank avait fait le tour du bâtiment pour se garer devant le Décor et Bricolage, qui exposait une balancelle en planches de cèdre, soldée pour cause de fin de saison. Ma mère et Frank étaient assis dedans, il avait passé son bras autour d'elle. Il avait éteint le moteur, mais pas retiré la clef de contact si bien que la radio marchait, diffusant *Lady in Red*.

Ils n'avaient pas remarqué mon retour. J'ai dit qu'on ferait mieux de rentrer avant que la glace ait fondu.

Il n'était pas tard quand nous avons fini de manger la tarte, j'ai prétendu pourtant que j'étais fatigué. Je suis monté dans ma chambre, j'ai mis le ventilateur en marche. Il était neuf heures du soir, mais il faisait encore si chaud que je n'ai gardé que mon caleçon sur moi.

J'essayais de lire le numéro de *Mad* que j'avais monté, mais j'avais du mal à me concentrer. Je pensais à la photo de Frank en première page du journal, qui était resté là toute la journée sans que personne l'ait ouvert. Le titre disait qu'il avait tué quelqu'un, sans autres détails. Bizarrement, ça paraissait grossier de lire l'article en sa présence.

Je les entendais parler en bas, et aussi le bruit de l'eau qui coulait pendant qu'ils faisaient la vaisselle, mais je ne saisissais pas les mots, et pas seulement à cause du ventilateur. Ils chuchotaient de plus en plus bas, ensuite ils mirent de la musique – un disque que ma mère adorait, des romances sirupeuses par Frank Sinatra. Pour danser, il y avait rien de mieux.

J'avais dû m'endormir à un moment, parce que soudain j'ai entendu des bruits de pas dans l'escalier. La nuit précédente, Frank l'avait passée sur le canapé, maintenant le bruit de ses pas, plus lourds, se mêlaient à ceux de ma mère, et puis il y avait sa voix grave, qui semblait venir d'ailleurs, d'un endroit profond, sombre et calme, une grotte ou un marais.

Et toujours pas de paroles, juste leurs deux voix, le ronronnement du ventilateur, à l'extérieur le crissement des grillons, une voiture quelque part dans la rue. Quelqu'un – probablement Mr Jervis – écoutait un match à la radio dans son jardin, parce qu'il y faisait plus frais. De temps à autre, j'entendais des hourras, je savais que les Red Sox avaient marqué.

Chez moi, quelqu'un prenait une douche, et l'eau n'arrêtait pas de couler, jamais je ne m'étais douché aussi longtemps, au point que je me suis demandé si je ne devrais pas aller vérifier qu'il n'y avait pas un tuyau de percé, mais quelque chose me disait de ne pas bouger. Le clair de lune maintenant entrait par la fenêtre. La porte de la chambre de ma mère craqua tout doucement. Musique diffusée par la radio, chez le voisin. De nouveau les voix. Chuchotements. J'ai capté les mots : *Je me suis rasé pour toi.*

La tête de mon lit touchait la cloison, de l'autre côté de laquelle s'appuyait la tête du lit de ma mère. Elle, je l'entendais parfois parler dans son sommeil – le genre de bredouillis que font les gens en rêvant. Habitué aux grincements de son sommier, au tic-tac du réveil, je n'y prêtais pas plus attention qu'aux battements de mon cœur. J'entendais jusqu'à ses soupirs, ou le bruit du verre d'eau qu'elle posait sur la table de nuit, ou le léger craquement de la fenêtre qu'elle ouvrait pour avoir de l'air, comme maintenant.

L'idée me vint, qui ne m'avait jamais traversé jusquelà, qu'elle aussi devait entendre les moindres bruits provenant de ma chambre. Je pensai à ces nuits, dernièrement, où ma main parcourait mon tout nouveau corps, où ma respiration s'accélérait pour finir par un halètement bref, quand c'était fini. Et si j'y pensais seulement maintenant, c'était à cause des murmures de l'autre côté de la cloison, qui se répondaient l'un l'autre. Des sons et des soupirs, des corps en mouvement, le bruit de la tête de lit tapant contre le mur, puis un seul cri, semblable à celui d'un oiseau qui a repéré sa femelle ou qui voit un aigle survoler son nid. Un appel de détresse.

Et moi, en entendant ce cri, j'ai senti mon corps se raidir. Je suis resté ainsi de longues minutes – le match terminé, les voix à côté s'étant tues, il ne restait plus que le ronronnement du ventilateur – jusqu'à ce qu'enfin je m'endorme.

# 9

Samedi. J'ai été réveillé par le bruit de quelqu'un frappant à notre porte. L'odeur du café m'apprenait que Frank devait être en bas, mais il ne pouvait pas répondre, et je supposais que ma mère dormait encore. J'ai dévalé l'escalier en pyjama, suis allé entrouvrir la porte.

L'ancienne amie de ma mère, Evelyn, se tenait sur le perron – la première fois qu'elle venait depuis au moins un an. Elle avait laissé la poussette surdimensionnée de Barry à un mètre de là, sur l'allée en ciment menant à l'entrée. Un coup d'œil me suffit pour voir qu'elle était mal en point – les cheveux qui frisottaient dans tous les sens, les yeux injectés de sang. Je savais, pour l'avoir entendue le raconter à ma mère, qu'elle ne dormait que quelques heures par nuit.

Je vais te dire une chose, Adele. La vie n'est pas un long fleuve tranquille.

Il faut que je parle à ta maman, me dit-elle. Même pas la peine de demander si elle était là : Evelyn connaissait notre façon de vivre.

Elle dort.

J'étais sorti sur le perron, ne voulant pas l'inviter à entrer, puisque Frank était dans la cuisine. Probablement occupé à faire revenir des toasts à la poêle, à en juger par l'odeur de beurre rissolé.

Ma sœur vient de m'appeler du Mass[1]. Notre père a eu une attaque. Il faut que j'y aille.

C'était pas un voyage pour Barry, dit-elle. Elle espérait que ma mère pourrait le garder pour la journée. Ses deux baby-sitters habituelles étaient parties pour le long week-end.

J'ai regardé derrière elle, en direction du fils. Je le trouvais grandi, avec même une sorte de duvet au-dessus de la lèvre. Il agitait les bras comme pour chasser un essaim de mouches.

Je lui ai préparé un panier-repas, dit-elle. Sa nourriture favorite. Il a pris son petit-déjeuner, je lui ai changé sa couche. Ta mère n'aura pas trop à faire. Si je file maintenant, je pourrai être de retour pour l'heure du dîner.

À l'intérieur, la radio diffusait de la musique classique, comme la veille. J'entendis ma mère appeler, du haut de l'escalier : Qui est-ce? Puis elle apparut sur le seuil, en peignoir de bain. Le visage comme adouci, le cou marqué d'une trace sombre. Je me suis demandé s'il l'avait de nouveau attachée avec les foulards, mais ça n'avait pas l'air de la faire souffrir.

---

1. Massachusetts (*NdT*).

Tu n'as pas choisi le bon moment, Evelyn, dit ma mère.

Mon père n'en a plus pour longtemps.

Normalement, je n'hésiterais pas une seconde, mais aujourd'hui ça tombe très mal.

Tout en parlant, ma mère regardait en direction de la cuisine.

Je ne serais pas venue si j'avais une autre solution. Tu es mon seul espoir, dit Evelyn.

Je veux t'aider, bien sûr. Seulement, c'est difficile.

Je te promets qu'il se tiendra tranquille.

Evelyn caressait la tête de Barry. Tu te rappelles Harry et sa maman, Barry ? Comme tu t'amusais bien avec lui ?

Bon, dit ma mère. Je pense que nous y arriverons. Pour quelques heures.

Je te revaudrai ça, Adele. Evelyn inclina la poussette, les deux roues avant franchirent la première marche, si bien que, l'espace d'une seconde, la tête de Barry sembla renversée. Il émit des sons qui ressemblaient à ceux que j'avais entendus de l'autre côté de la cloison pendant la nuit. Des sons joyeux peut-être, allez savoir.

Salut, Barry. Comment ça va ?

Je te revaudrai ça, répéta Evelyn. Chaque fois que tu voudras que je garde Henry. (Comme si j'étais un Barry quelconque. Comme si j'avais la moindre envie de passer une journée chez elle.)

Tu es pressée, Evelyn, dit ma mère. Alors laisse-nous faire. Nous rentrerons la poussette de Barry à l'intérieur. Henry est fort maintenant.

Il faut que je gagne l'autoroute, le plus vite j'y parviens, le plus tôt je rentre. Installe-le devant la télé, il sera heureux. Il adore les dessins animés. Et puis Jerry Lewis.

Ne t'inquiète pas, nous nous débrouillerons très bien.

À l'époque où Evelyn et son fils venaient nous voir souvent, ma mère disait que nous devions aménager la maison pour la rendre accessible aux handicapés. Evelyn ayant plus ou moins disparu, nous ne l'avions pas fait. Maintenant, il fallait hisser la poussette spéciale *high tech* de Barry jusqu'au perron.

L'ensemble, voiturette avec lui dedans, pesait plus lourd que nous ne nous y attendions. Dès qu'Evelyn eut démarré, Frank apparut. Il souleva fauteuil et occupant du sol et les déposa dans le living, veillant à ce que le crâne de Barry ne heurte pas les montants de la porte. Puis il lui redressa la tête, qui avait valdingué sur le côté.

Nous y voilà, mon pote.

J'ai allumé la télé.

Par le couloir, je voyais ma mère et Frank dans la cuisine. Il leva la main pour atteindre quelque chose dans le placard au-dessus de la cuisinière et lui effleura le cou, comme par inadvertance.

Bien dormi? demanda-t-il.

Elle se contenta de le regarder. Il connaissait la réponse.


C'est Frank qui fit manger Barry. Evelyn avait dit qu'il avait pris son petit-déjeuner, mais la vue des toasts le mit dans un tel état d'excitation que Frank lui en émietta un. C'était la deuxième fois, en trente-six heures, qu'il faisait manger quelqu'un, mais avec Barry, c'était différent. La scène, Frank portant la cuiller aux lèvres de ma mère, avait eu quelque chose de si intime que j'avais dû détourner les yeux.

Le repas terminé, Frank a installé Barry devant la télévision. Sa mère l'avait habillé d'un anorak et d'une casquette, que nous lui avons enlevés. À même pas sept heures et demie du matin, la chaleur humide pesait déjà.

Tu sais ce qui te ferait du bien, mon vieux ? a dit Frank. Un bon coup d'eau fraîche.

Il est allé remplir un bol de glaçons et d'eau, a trempé une serviette de toilette, l'a essorée, a déboutonné la chemise de Barry et a passé doucement le linge sur la poitrine imberbe, le cou, les épaules osseuses. Puis sur le visage. Barry gargouilla, il semblait heureux. Sa tête, qui si souvent se balançait sans raison ni liaison avec le reste du corps, se tenait mieux, ses yeux fixaient Frank.

Tu vas finir par avoir très chaud dans ton fauteuil, hein, mon vieux ? Peut-être que cet après-midi je te monterai pour que tu puisses prendre un vrai bain.

Nouveaux gargouillis. De joie.

En page une du journal, un nouvel article sur les records de température, les bouchons attendus sur l'autoroute menant à la plage, les risques de pannes d'électricité pour cause d'usage immodéré des climatiseurs. Nous, nous n'avions qu'un ventilateur.

Laissez-moi regarder votre jambe, a dit ma mère à Frank. Voir si ça cicatrise bien.

Il a remonté son pantalon. Le sang avait séché autour de la blessure qui, en temps normal, aurait justifié la pose d'agrafes. Hors de question dans les circonstances présentes.

La blessure à la tête, causée par les éclats de verre, semblait également en état satisfaisant. Sans cette histoire d'appendicite, dit Frank, il aurait cassé tout le bois qu'on nous avait livré. Casser du bois procure une grande satisfaction. Toute votre colère y passe, sans faire de mal à personne.

C'était quoi cette colère? lui ai-je demandé. J'espérais que ce n'était pas à cause de moi, de quelque chose que j'aurais fait. Je voulais lui plaire, et qu'il reste avec nous. Ma mère, je savais déjà qu'elle lui plaisait.

Oh, tu sais, dit-il. Fin de saison des Red Sox. Chaque année, à la même époque, ils commencent à foirer.

Je n'ai pas cru que c'était la bonne raison, mais bien entendu je ne l'ai pas manifesté.

À propos de baseball, a-t-il dit. Où est ton gant? Quand j'aurai fini d'aider ta mère, je propose qu'on se fasse des lancers de balles, d'accord?

Barry et moi nous avons regardé des tas de dessins animés. Normalement, ma mère m'en aurait empêché. Quand ce fut le tour de *Smurfs*, j'ai voulu changer de chaîne pour trouver quelque chose de moins bébé, mais Barry s'est mis à couiner, comme un chiot à qui on marche sur la patte, alors j'ai cédé. L'émission se terminait juste quand Frank est descendu, ayant apparemment fini d'aider ma mère, et m'a dit : on y va.

Je lui ai répété que j'étais nul en sport, il m'a reproché d'employer ce terme. Si tu agis avec l'idée que ce sera trop dur, alors ça le sera. Tu dois croire que c'est possible.

Toutes ces années en taule, j'ai refusé d'admettre que je ne sortirais jamais. J'ai attendu mon heure et j'ai positivé. Pour être prêt quand ça arriverait.

Aucun de nous n'avait abordé le sujet de son évasion jusqu'à maintenant. Ça m'a surpris qu'il le fasse.

Je ne savais pas que mon appendice me fournirait mon billet de sortie. Mais je m'étais préparé au saut par la fenêtre. En pensée, je l'avais fait un million de fois. Le saut, et comment atterrir. Et j'aurais réussi parfaitement, sans cette pierre cachée sous l'herbe, à un endroit où je ne pensais pas qu'il pouvait y en avoir. C'est là que je me suis foulé la cheville.

Je savais que j'aurais besoin d'un otage. Pas n'importe lequel, un genre particulier.

Il regarda ma mère.

La question, pourtant, se pose, dit-il : dans le cas présent, qui retient l'autre captif ?

Il approcha la tête de son oreille, lui écarta les cheveux, peut-être pensait-il que je n'entendrais pas, ou peut-être qu'il s'en fichait.

Je suis ton prisonnier, Adele, voilà ce qu'il lui a dit.

# 10

J'avais cru qu'on laisserait Barry devant la télé, mais Frank a imaginé qu'il aimerait nous voir jouer. Il l'a soulevé et l'a transporté dehors, installé dans une chaise longue, lui a planté sur le crâne la casquette des Red Sox qu'il s'était achetée pour lui-même au supermarché. Nous étions suffisamment loin de la rue, à l'abri des regards, sauf ceux de Barry.

Ton boulot, mon vieux, lui dit-il, c'est de soutenir ton équipe favorite.

À quoi j'ai répondu : Pas la peine de vous faire des illusions, plus nul que moi au baseball, ça n'existe pas.

Tu remets ça ? m'a engueulé Frank. Tu as oublié ce que je t'ai appris ? Il faut positiver.

D'ac. Je vais devenir le plus grand milieu de terrain depuis Mickey Mantle.

Mantle ne jouait pas milieu de terrain, mais c'est bien ça l'idée.

Eh bien, croyez-le ou pas, Frank a lancé la balle, et je l'ai attrapée. Ensuite ma mère est sortie, nous lui avons

donné mon gant pour qu'elle se mette en position de receveur, et moi j'ai pris la place de Frank. Mon score a dépassé
la moyenne. On aurait pu penser que Frank me donnait
un coup de pouce, mais ce n'était même pas le cas.

Il se tenait derrière moi sur le marbre imaginaire et
positionnait mes mains sur la batte, rectifiant l'angle du
coude et du poignet, un peu comme avait fait ma mère
pour m'apprendre le fox-trot.

Regarde la balle, se disait-il à lui-même, juste avant de
la frapper. Je prononçais les mêmes mots, et ça marchait.

Si nous pouvions travailler toute une saison, tu verrais
ce que deviendrait ton jeu.

Le problème, il est dans ta tête. Tu prévois que tu vas
foirer, et tu foires.

Imagine-toi en train de sauter par une fenêtre d'hôpital et d'atterrir sur tes deux pieds – quelques éclats de
verre dans le cuir chevelu, une écorchure sur le mollet – et
tu sautes.

En réalité, la personne dont la force des bras m'inquiète, ce n'est pas toi, Henry, c'est ta mère. Vous auriez
besoin d'un remède plus puissant, Adele. Mon travail avec
vous exigerait plus de temps. Des années, peut-être.

Depuis quand n'avait-elle pas ri comme ça? Maintenant, j'étais le receveur, Frank le lanceur, mais il se rappro-
chait de la base où se tenait ma mère, de façon à pouvoir
l'encercler de ses longs bras. Envoie, comme je t'ai appris,
Henry, dit-il en me jetant la balle.

J'ai levé le bras, j'ai lancé, Frank et ma mère ont oscillé,
on a entendu un bruit sec et fort, la balle s'est envolée.

Dans sa chaise longue, Barry a poussé un glapissement.

Coup de téléphone de mon père.

Vous allez bien, ta mère et toi ? Il voulait savoir si on pouvait reporter notre dîner chez Friendly au lendemain soir. J'ai reconnu le ton de sa voix, celui qui signifiait qu'il s'inquiétait pour nous, tout en souhaitant lâcher ce téléphone le plus vite possible et retourner à son autre famille, où les choses étaient tellement plus faciles.

Nous avons des amis à la maison, lui ai-je dit. Même le détecteur de mensonge, j'en suis sûr, n'aurait pas tiqué.

Ensuite, Evelyn a appelé. Il y avait de tels embouteillages sur la 93 qu'il était deux heures de l'après-midi quand elle était arrivée à l'hôpital. À présent, ils attendaient de voir le docteur. Elle espérait que nous pourrions garder Barry jusqu'après le dîner.

Ne t'en fais pas, Evelyn, a dit ma mère, arrive quand tu pourras. Il va bien.

Evelyn a dû alors évoquer la question du changement de couche. C'était ce qui lui causait le plus de souci. Soulever Barry de sa chaise devenait très difficile.

Bien entendu, ma mère n'a pas dit que c'était Frank qui l'avait changé. Frank qui l'avait ramené dans la maison après l'entraînement de baseball, lui avait fait couler un bain, qu'il avait rempli de glaçons et de crème à raser. De ma chambre, où je me tenais, je les entendais tous les deux : Barry qui couinait, Frank qui sifflait.

Quel imbécile je suis, mon pote. Je ne me suis même pas présenté. Je m'appelle Frank.

Barry émit un son.

C'est ça, Frank. Ma grand-mère m'appelait Frankie. Tu choisis celui que tu veux, ils me plaisent tous les deux.

De nouveau, il a préparé le dîner. Perchée sur le plan de travail, ma mère partageait une bière avec lui. Elle avait dégoté un vieil éventail chinois, qui lui avait probablement servi pour un numéro de danse. Et maintenant, elle l'éventait.

Je parie que vous pourriez me faire une chouette démonstration de danse avec cet objet, Adele. Et avec un costume génial assorti. Ou sans.


Personne n'avait faim, à cause de la chaleur, mais Frank avait concocté un potage froid au curry à partir des quelques pêches restantes et d'une boîte de sauce épicée qui avait dû accompagner un quelconque plat tout prêt. Ensuite ma mère a préparé des sodas de *root beer*, Barry et moi sommes restés dans le jardin, assez loin pour qu'on ne puisse pas nous voir de la piscine des Jervis, d'où nous parvenaient les ploufs de la fille asthmatique et de son petit frère. Quand nous en avons eu assez des piqûres d'insectes, nous sommes rentrés regarder la télé. *Rencontres du troisième type*. Frank a calé Barry dans sa voiturette et lui a passé une nouvelle serviette mouillée autour du cou. Ma mère a fait du pop-corn.

En entendant approcher la voiture d'Evelyn, Frank a filé au premier. Elle est entrée dans le living. Son père allait mieux, dit-elle. Toujours en soins intensifs, mais plus dans un état critique. Je ne sais pas comment je pourrai te remercier, Adele.

Ma mère voulait seulement qu'elle parte, mais Evelyn avait conduit pendant deux heures. Je crois que tu as besoin d'un grand verre d'eau froide, lui a-t-elle dit.

Elle revenait avec le verre quand l'information est tombée. La forte consommation d'énergie durant la journée écoulée risquait de provoquer des pannes de courant importantes, or nous avions devant nous encore deux jours de grosse chaleur.

Je sais que vous avez très chaud, disait le présentateur du journal, mais nos amis de la municipalité vous prient de ne pas faire marcher les climatiseurs, sauf si c'est indispensable. Prenez plutôt des douches froides.

Par ailleurs, a-t-il poursuivi, la police de la zone trifrontalière continue de rechercher le prisonnier évadé depuis mercredi…

Apparition de la photo de Frank, plein écran. Barry qui, jusque-là semblait à peine conscient de son environnement, se mit soudain à agiter les bras et à pousser des cris, comme pour accueillir un vieil ami. Il se tapait la tête, il frappait le poste.

À l'époque où Evelyn venait souvent à la maison, l'un de ses principaux sujets de conversation avec ma mère concernait l'intelligence de son fils, qu'elle affirmait sous-estimée. Elle s'était battue longtemps pour le faire admettre dans une classe normale. Maintenant, elle semblait à peine remarquer son état d'excitation, ses glapissements, les coups de pied qu'il lançait dans le vide. Les yeux, habituellement incapables de se fixer sur quelque chose, braqués sur l'écran.

Il est temps de rentrer à la maison, mon garçon, dit sa mère.

Tous les trois – Evelyn, ma mère et moi – nous avons tiré à reculons le fauteuil roulant, franchi la porte – dans le noir – et l'avons posé sur le ciment. Evelyn l'a hissé par la rampe à l'arrière du van, puis ceinturé. Quand les portes se sont fermées, j'ai vu le visage de Barry. Il continuait d'appeler, une seule et unique syllabe, le premier mot sorti de sa bouche que je comprenais.

Dénaturé mais intelligible : *Frank.*

Cette nuit-là, de nouveau je les ai entendus. Il était impossible qu'ils ignorent que le bruit traversait la cloison. Apparemment, ça leur était égal que les gens sachent ou ne sachent pas, moi inclus. Ils habitaient ailleurs, un autre pays, une autre planète.

Ils ont fait l'amour très longtemps. À l'époque, je n'employais pas l'expression, ni aucune autre d'ailleurs. Elle ne correspondait à rien que j'aurais pu connaître par expérience personnelle ou par celle de quiconque d'autre. Par exemple chez mon père, les rares fois où je dormais là-bas, même si lui et Marjorie partageaient le même lit. Rien que je pouvais concevoir se produire dans aucune des habitations de notre rue, rien que puisse évoquer une scène de film à la télévision.

Quand j'imaginais ce qui se passait entre Frank et ma

mère de l'autre côté du mur, même si j'essayais de ne pas le faire, je voyais deux naufragés sur une île si lointaine que personne ne les retrouverait jamais, n'ayant plus rien à quoi se cramponner sinon la peau de l'autre, le corps de l'autre. Peut-être même pas une île, juste un radeau au milieu de l'océan, qui se désagrégeait.

Parfois la tête de lit cognait contre le mur de longues minutes sans interruption, un bruit aussi régulier que celui de Joe tournoyant indéfiniment sur sa roue dans sa cage. À d'autres moments – c'étaient les plus difficiles à supporter – les sons ressemblaient à ceux que pourrait produire une nichée d'oisillons ou de chatons. Suivis d'un long grognement satisfait, celui d'un chien qui, couché près du feu, ronge et lèche son os jusqu'à ce qu'il n'y reste plus la moindre trace de viande.

De temps à autre, une voix humaine. *Adele. Adele. Adele.*

*Frank.*

À ce que j'entendais, ils ne parlaient jamais d'amour, comme s'ils avaient dépassé ce stade.

Et je savais qu'ils m'avaient oublié, dans ma chambre derrière le mur, avec mon poster d'Einstein, ma collection de minéraux, mes livres sur le monde de Narnia, la lettre signée des astronautes d'Apollo 12, mon recueil des *Mille et une plaisanteries pour fêtes géniales*, et le seul mot que m'avait jamais adressé Samantha Whitmore, admettant ainsi mon existence sur cette planète : est-ce que tu as un devoir de maths à faire pour demain ?

Ils ne pensaient ni à la vague de chaleur, ni aux économies d'électricité, ni aux Red Sox, ni à la tarte aux pêches, pas non plus aux points de suture sur le ventre de Frank, la cicatrice toujours à vif – je l'avais vue – comme celle du mollet, à l'endroit où le verre l'avait coupé. Ils ne pensaient pas à des fenêtres de troisième étage, ni aux présentateurs de télé, aux barrages de police sur les routes, et aux hélicoptères qui avaient tournoyé au-dessus de la ville, le jour précédent. Qu'est-ce qu'ils espéraient repérer ? Une traînée de sang bien rouge ? Des gens attachés à des arbres ? Un feu de camp, avec un homme faisant rôtir dessus un écureuil ?

Tant que nous ne sortions pas de la maison, personne ne pouvait savoir qu'il était là. La nuit, en tout cas, nous étions hors d'atteinte. Trois habitants sur cette terre, ou plutôt trois êtres humains tournant en orbite au-dessus d'elle.

Et encore, pas exactement. La configuration était de deux plus un. Eux, les astronautes d'Apollo qui se déplaçaient sur la surface de la lune, tandis que leur loyal compagnon, resté dans la capsule, dirigeait l'opération et veillait à ce que tout se passe bien. Très loin en dessous, les Terriens attendaient leur retour. Mais pour le moment, dans un temps suspendu, même l'atmosphère n'existait pas.

# 11

Puis le matin arriva – nous étions dimanche maintenant – et il fallut s'occuper de la réalité. Dans la soirée,
mon père viendrait me chercher, et même si je n'avais pas
plus envie de partir avec lui que lui de m'emmener, je le
suivrais.

La rentrée des classes, c'était pour le mercredi suivant.
Rien de très excitant à attendre de cette quatrième, à peu
près la même chose qu'en cinquième, sauf que les garçons
qui me traitaient en douce de *pédé* ou de *connard* quand
je les croisais dans les couloirs auraient beaucoup grandi
tandis que moi – malgré les proclamations de ma mère
concernant les bienfaits des MégaVites – je serais toujours
aussi petit.

Les seins des filles auraient probablement poussé pendant l'été, ce qui signifierait que j'aurais encore plus de
difficultés à dissimuler leurs effets sur ma personne, chaque fois que je me lèverais de mon banc, pour les changements de salle de cours. Qui ignorerait mon terrible
secret, à me voir déambuler dans les couloirs, du cours de

sciences au cours d'anglais, du cours d'anglais au réfectoire, portant mes livres à hauteur du bas-ventre ? Même si la chose n'intéressait personne, mon membre continuerait en vain de se manifester, tout comme Alison Smoat ne cessait de lever la main pour donner son avis en cours de sciences sociales, alors que le prof ne le lui demandait jamais. Sachant – comme nous tous – qu'une fois lancée, elle ne la bouclait plus.

Il y aurait les épreuves de sélection pour l'équipe de basket. Puis l'élection des chefs de classe. La distribution des rôles pour le spectacle d'automne. Les sélectionnés dans chaque domaine revendiqueraient leurs tables au réfectoire, et donc les places où les autres ne devraient même pas songer à s'asseoir. Le directeur ferait son discours sur l'influence du groupe et le danger des drogues, le prof d'éducation sanitaire, après nous avoir rappelé que nous étions trop jeunes pour avoir une activité sexuelle, nous montrerait à quoi ressemblait un préservatif et l'enfilerait sur une banane. Est-ce que seulement j'utiliserais ce truc un jour ?

Visualise l'événement que tu veux voir arriver, m'avait dit Frank.

J'ai visualisé Rachel McCann ôtant son soutien-gorge à mon intention. Tu vois comme ils ont grossi cet été ? disait-elle. Ça te plairait de les toucher ?

J'ai visualisé une fille non identifiée s'amenant derrière moi pendant que j'essayais d'ouvrir mon casier, me couvrant les yeux de sa main, me faisant tournoyer et plantant sa langue dans ma bouche. Je ne voyais pas son visage, mais je sentais la pression de ses seins contre moi, et de sa langue sur mes dents.

Pourquoi tu ne conduirais pas, Henry, pour changer? demande ma mère. Qu'est-ce tu dirais d'une virée à la plage?

Sauf que nous ne sommes pas seuls elle et moi. Nous sommes trois, elle derrière, moi au volant, et Frank assis à côté, pour s'assurer que je conduis bien, comme le font les pères, sauf le mien.

Et si on quittait la ville pour un certain temps? suggère Frank. Direction nord. Découvrir un autre endroit.

Nous posons la cage de Joe sur la banquette arrière, avec quelques livres peut-être, un paquet de cartes, la cassette de tristes chansons folkloriques irlandaises qu'aime ma mère et certainement quelques vêtements à elle. Pas de provisions. Nous nous arrêterons pour manger dans un restaurant. J'emporterai ma collection de BD, mais pas mes albums de jeux. Je comprends brusquement que, si j'aimais tant ça, c'était parce qu'il n'y avait pas grand-chose d'autre à faire, alors que maintenant…

À ma grande surprise, il se peut même que je fourre la balle et mon gant de baseball dans le coffre. Dans le passé, j'accueillais toujours avec anxiété et peur la suggestion de mon père de nous exercer, mais avec Frank, ça m'avait amusé. Je ne me sentais pas ridicule.

Nous roulons vers le nord, en direction du Maine, en écoutant la radio. Nous nous arrêtons dans un endroit au bord de l'eau – Old Orchard Beach – une cabane de pêcheur où nous mangeons des rouleaux de crabe, du poisson et des frites pour ma mère.

Ouah! C'est bien meilleur que les Cap'n Andy, dit-elle, en donnant une bouchée à Frank.

Comment est ton rouleau ? me demande-t-il, mais j'ai la bouche trop pleine pour pouvoir répondre, alors je souris.

Nous commandons de la limonade, puis des cornets de glace. À la table d'à côté, une fille en robe d'été – parce que l'été est revenu, à moins que ce soit l'été indien – lèche elle aussi un cornet, mais s'arrête et me fait un signe de main. Elle ne sait rien de moi dans mon ancienne école, ni de ma mère dans notre ancienne ville, ne connaît pas l'existence de la photo de Frank dans le journal.

Je t'ai vu avec un exemplaire de *Prince Caspian*, dit-elle. C'est mon livre favori.

Puis elle aussi m'embrasse, mais différemment de l'autre fille. Elle prend son temps, et tandis que nous nous embrassons, sa main m'étreint le cou et me caresse la joue, la mienne lui caresse les cheveux puis la poitrine, mais doucement, et bien entendu j'ai une érection, sauf que cette fois, ça n'a rien d'embarrassant.

Ta mère et moi on pense qu'on va faire une petite marche sur la plage, mon garçon, me dit Frank. Soudain je découvre l'une des meilleures conséquences de son arrivée chez nous. Je n'ai plus la responsabilité de la rendre heureuse. C'est son boulot à lui. Ce qui me laisse libre pour d'autres choses. Vivre ma vie, par exemple.

Le café était en train de passer. Pour le troisième matin consécutif, et je commençais à trouver ça normal. J'avais taché mon drap, comme d'habitude, mais ça m'inquiétait moins. Ma mère ne s'occupait pas de mon linge. Elle avait d'autres choses en tête.

Quand je suis descendu, je les ai trouvés tous les deux assis à la table de la cuisine, le journal ouvert devant eux. La veille, une embarcation familiale avait chaviré sur le lac Winnepesaukee, et on recherchait le corps du père. Une vieille dame, participant à une sortie avec un groupe du troisième âge de notre ville, en route pour un casino du Connecticut, était morte dans le bus d'une commotion cérébrale due à la chaleur. Les Red Sox occupaient toujours la seconde place, et se dirigeaient vers les matchs de barrage. Renaissance des bons vieux espoirs de septembre.

Mais ma mère et Frank ne lisaient rien de tout cela. Peut-être s'étaient-ils arrêtés au titre d'un autre article : *La police intensifie les recherches concernant le prisonnier en cavale.* Elle offrait dix mille dollars de récompense à quiconque fournirait une information débouchant sur l'arrestation de l'homme, considéré comme dangereux, échappé depuis mercredi du pénitencier de Farmington. On estimait en haut lieu que, compte tenu des problèmes posés par ce long week-end de vacances, de ses blessures qu'on supposait graves et du fait qu'il venait de subir une intervention chirurgicale, l'homme devait se trouver dans les environs, peut-être même retenant en otages des citoyens de notre ville. Avec ou sans arme, il était dangereux. La personne qui viendrait à le repérer ne devait en aucun cas tenter de l'appréhender. Qu'elle contacte les autorités policières locales. La récompense serait versée aussitôt après l'arrestation.

Je suis entré dans la pièce débarras. Ça faisait quelques jours que je n'avais pas nettoyé la cage de Joe. Je l'ai sorti et, tout en le tenant au creux de mon bras, j'ai remplacé sa litière par une nouvelle page de journal. Celle des sports.

C'était l'heure où, normalement, Joe se livrait à ses exercices de saut sur sa roue. Le moment de la journée où il était le plus fringant. Mais ce matin je l'avais trouvé allongé pantelant sur le sol de sa cage. La chaleur, probablement. Personne ne voulait s'agiter plus que le strict nécessaire par un jour comme celui-là.

Je l'ai caressé pendant quelques minutes, il me mordillait gentiment le doigt. Par la porte moustiquaire me parvenait la voix de ma mère.

J'ai un peu d'argent de côté, disait-elle. Après la mort de ma mère, j'ai vendu la maison. Il est sur mon compte d'épargne.

Tu as besoin de cet argent, Adele, tu as un fils à élever.

Il faut que tu ailles te réfugier dans un endroit sûr.

Supposons que tu viennes avec moi ?

Tu me le demandes ?

Oui.

Pendant le dîner, ce soir-là, il nous apprit que la cicatrice sur son abdomen avait bien meilleure allure. Il aurait dû demander au chirurgien de lui garder l'appendice, dans un bocal, par exemple. J'aurais aimé voir à quoi ressemblait la petite fripouille à qui je dois de vivre toute cette aventure.

M'être évadé. Vous avoir rencontrés.

Il ne nous avait pas encore raconté combien de temps il était resté enfermé, ni combien de temps il lui restait à tirer avant sa libération. J'aurais pu l'apprendre en lisant le journal, mais j'aurais eu le sentiment de tricher. Je ne voulais pas non plus le questionner sur les raisons exactes de sa condamnation.

Ils étaient restés dans la cuisine à laver la vaisselle. Mon ancien job, pour lequel on n'avait plus besoin de moi. Alors je me suis allongé sur le canapé du living. Je zappais sur la télé, et je les écoutais.

Aussi merveilleux que ce soit de me réveiller ici le matin (ça devait être dans le lit de ma mère), disait-il, je ne me sentirai vraiment libre que le jour où je pourrai marcher dans la rue en te tenant par la taille, Adele. C'est tout ce que je demande à la vie.

Nouvelle-Écosse, disait-elle. Île du Prince Edward. Personne ne viendra nous y embêter.

Ils pourraient élever des poules. Cultiver un jardin. Le Gulf Stream passe par là.

Mon ex-mari n'acceptera jamais que j'emmène Henry, disait ma mère.

Donc tu sais ce que ça signifie, n'est-ce pas ?

Ils allaient partir, et ils allaient me laisser. J'avais passé tout ce temps à imaginer à quoi ressemblerait notre vie à trois, genre s'exercer au lancer de balle dans la cour, sauf qu'en réalité ce serait leur vie à deux.

Bientôt – pas aujourd'hui, parce que les banques étaient fermées, ni demain lundi, pour la même raison –, ils se rendraient à la banque de ma mère. Ça faisait deux ans qu'elle n'y était pas entrée, mais cette fois-ci, elle n'hésiterait pas. Elle irait elle-même trouver le caissier – Frank attendrait dans la voiture – et lui dirait : je veux faire un retrait. Dix minutes plus tard – parce qu'il faudrait bien ça pour compter les billets – elle ressortirait avec le sac d'argent dans les bras, qu'elle poserait par terre dans la voiture.

Qu'est-ce que t'en penses, on se tire d'ici ? demanderait Frank. Des paroles venues tout droit d'un vieux western que j'avais regardé dans la journée.

Il va tellement me manquer, dirait ma mère. « Il », c'était moi. Peut-être même qu'elle allait se mettre à pleurer, mais il la réconforterait, et elle s'arrêterait bien vite.

Tu peux avoir un autre enfant, dirait Frank. Comme a fait ton ex-mari. Nous élèverons notre enfant, toi et moi.

Et, de toute façon, ton fils n'aura pas de problèmes. Il ira vivre avec son père. Avec la belle-mère et les deux autres gosses. Ça sera génial. Son père l'entraînera au baseball.

C'était plus fort que moi, la scène continuait à se dérouler dans ma tête. Frank caressant les cheveux de ma mère, lui disant que je n'avais plus réellement besoin d'elle. Elle, la tête posée sur son épaule, et qui le croyait.

Ce n'est plus un gosse, insistait-il. La seule chose à laquelle il pense, je le sais, c'est de mettre la main dans la culotte d'une fille. Si tu en doutes, jette un œil à ses draps. Un garçon de cet âge, il n'y a que ça qui l'intéresse.

Les cuisses de Rachel McCann. La culotte de Sharon Sunderland. Les tétons d'une girl de Las Vegas.

Il est grand temps que tu penses à toi, Adele, dirait-il. Terminé l'idée d'un mari-d'un-jour. Frank serait son mari pour l'éternité.

Je suis entré dans la cuisine, en faisant plein de boucan, tout en n'étant pas certain qu'ils s'en apercevaient, tant ils étaient plongés dans leur propre monde. Mais je n'ai pas eu le temps d'atteindre le frigo et d'y prendre un pichet de lait – du vrai lait, idée de Frank, pour avaler mes céréales – qu'ils avaient déjà changé de conversation. Il avait remarqué qu'un coin du linoléum de la salle de bains, à côté de la douche, commençait à pourrir pour cause d'infiltration d'eau. Il allait s'occuper du problème aujourd'hui même. Remplacer le vieux parquet qui était dessous.

Nous ne resterons peut-être plus assez longtemps ici pour que ça vaille le coup, dit-elle.

N'empêche. Ce genre de chose, il faut toujours le réparer. Je n'aimerais pas laisser faire ce truc moche à quelqu'un d'autre. Ton fils ou quiconque.

Voilà la preuve. Ils allaient partir. Et moi, qu'étais-je censé devenir ?

# 12

Pendant le petit-déjeuner, Frank nous parla de la ferme où il avait grandi, dans l'ouest du Massachusetts. Ses grands-parents avaient choisi la formule « Cueillez vous-mêmes vos produits », principalement des myrtilles, puis, les années passant, des citrouilles à l'automne ; pour finir, les gens purent même déterrer leurs sapins de Noël. Dès l'âge de sept ans, Frank apprit à conduire le tracteur, à nourrir les poules et à soigner les arbres. Ils ne poussaient pas naturellement sous forme de sapins de Noël, il fallait les tailler.

Ses grands-parents installaient un stand dehors, devant la ferme, où ils vendaient leurs fruits et légumes, plus les confitures et les tartes que faisait sa grand-mère. Frank aurait préféré pelleter la merde des poulets à longueur de journée – excusez mon langage – plutôt que de tenir le stand, aussi, après la mort de son mari, la grand-mère avait engagé une fille pour l'aider. Mandy, une fille du voisinage, d'un an plus âgée que Frank. Née sous une mauvaise étoile. Sa mère s'était enfuie avec un type, et elle n'avait jamais connu son père. À l'époque où Frank la rencontra, elle vivait chez sa sœur, avait laissé tomber l'école et faisait des ménages, prenait tous les petits boulots qui se présentaient. Celui de la ferme Dowd en était un.

Il commença à sortir avec elle, si on peut appeler ça comme ça, l'été qui suivit la fin de ses études secondaires. Ça consistait surtout à faire une virée en voiture en écoutant la radio, et à se peloter.

J'étais vierge, expliqua Frank à ma mère. Comme d'habitude, ils poursuivaient leur conversation, et que je sois là ou pas semblait ne faire aucune différence. J'aurais tout aussi bien pu être invisible.

Cet automne-là, il s'était embarqué pour le Vietnam. Un engagement de deux ans. Moins on en parle et mieux c'est. Son idée, c'était d'entrer en fac à la fin de son engagement, mais à son retour il ne voulut qu'une chose : s'installer dans un endroit tranquille et qu'on lui fiche la paix. Les cauchemars nocturnes n'en étaient qu'à leur début. Il ne connaîtrait plus jamais une bonne nuit de sommeil.

Au Vietnam, il avait reçu trois lettres de Mandy. La première, juste après son départ, où elle lui disait qu'elle pensait à lui et qu'il figurait dans ses prières – elle ne lui avait pourtant jamais paru être du genre à prier. Peut-être que l'idée d'avoir un petit ami à l'étranger lui plaisait.

Puis il y avait eu un long silence, de plus d'un an. Et soudain, presque à la fin de son engagement, était arrivée une longue lettre sur du papier d'écolier, de cette écriture ronde et penchée, avec les points sur les i en forme de visage rigolard.

Elle lui donnait des nouvelles des gens de la ville. Un garçon qu'ils avaient connu avait perdu une jambe en passant sous une faucheuse. Un autre, au volant de sa voiture, était entré tête la première dans un break venant en sens inverse, tuant les trois passagers du véhicule, tous de la même famille. Elle avait découpé et lui envoyait les notices nécrologiques de plusieurs vieilles personnes – parfois des amis de sa grand-mère – décédées de mort naturelle, ainsi que de leur livreur de lait qui, un jour, s'était enfermé avec son camion dans le garage et avait mis le moteur en marche. Il n'avait laissé aucun mot d'explication.

Difficile de dire où elle voulait en venir avec ce déballage de mauvaises nouvelles, sinon, peut-être, que le Vietnam, après tout, c'était pas si terrible, ou que c'était partout aussi mauvais. Fonce, la vie est courte ?

Cette lettre, puis l'autre, arrivée deux jours plus tard, avant qu'il ait eu le temps de répondre à la première, eut pour effet de le convaincre – alors qu'il n'avait pas encore vingt et un ans – que la tragédie et la mort vous suivaient partout où vous alliez. Il n'y avait pas d'échappatoire, sauf celle qu'avait choisie Mr Kirby en s'enfermant dans son garage et en faisant tourner son moteur. L'illusion qu'il avait eue qu'en rentrant au pays les choses s'arrangeraient, cette illusion avait disparu.

Elle lui écrivait qu'elle comptait les jours jusqu'à son retour. Elle avait fabriqué un calendrier et l'avait collé au mur, chez sa sœur. Voulait-il qu'elle relève ses cheveux ou qu'elle les laisse pendre quand elle viendrait le chercher à la base ?

Il ne se rappelait pas lui avoir jamais demandé de devenir sa petite amie, ni l'avoir considérée comme telle, mais
apparemment c'est ce qui s'était passé, sans que personne
y soit pour rien, de la même façon que les buissons de
myrtilles captent l'humus, ou que les poulets savent qu'il
est l'heure de rentrer au poulailler, le soir. Et comme il
n'avait aucun autre projet en tête, pourquoi pas ?

Effectivement, elle l'attendait à sa descente d'avion.
Un peu plus grassouillette que dans son souvenir, la taille
épaissie, mais aussi, et c'était la bonne nouvelle, la tête
mieux remplie. Entre-temps, il avait couché avec quelques
filles à Saigon, une autre fois à l'occasion d'une permission en Allemagne, mais plus depuis qu'il avait reçu les
deux dernières lettres de Mandy. Il avait décidé de tenir
jusqu'à ce que ce soit elle la prochaine.

À la maison, sa grand-mère lui avait arrangé une pièce
du fond, avec sa propre salle de bains, un mini-frigo et
une plaque chauffante, en quelque sorte un appartement
personnel. C'est là que Mandy le conduisait. Sa grand-
mère les attendait. L'air beaucoup plus vieille que lorsqu'il
était parti. La télévision marchait – le jeu du *Bigdil* – et
en entendant les hurlements du public, il aurait voulu se
boucher les oreilles.

Est-ce qu'on peut éteindre, grand-mère ? Mais ça n'avait
pas suffi. Quelque part dans le champ, une faucheuse était
en pleine action, le lave-linge passait à la fonction essorage,
et puis il y avait la radio. Dans la grange, les hommes écou-
taient la retransmission d'un match. Un rugissement. Est-
ce que tout le monde l'entendait, ou le bruit n'était-il que
dans sa tête ?

Je t'ai préparé à manger, Frankie, dit sa grand-mère. J'ai pensé que tu devais avoir faim.

Laisse-moi un peu de temps, s'il te plaît. Je voudrais m'allonger un moment. Prendre une douche.

C'était vraiment ce qu'il voulait faire, mais à peine étaient-ils entrés dans la chambre – Mandy pendue à son uniforme, comme les femmes du *Bigdil* aux basques de Monty Hall, le présentateur – qu'elle avait fermé la porte à clef et baissé le store.

Enfin, nous y voilà, avait-elle dit.

Il aurait voulu s'excuser. Il était fatigué, il serait probablement en meilleure forme le lendemain, ou peut-être un peu plus tard. Mais déjà elle lui déboutonnait sa veste, s'accroupissait pour lui délacer ses brodequins. Elle avait ouvert son chemisier, dégrafé son soutien-gorge – le genre qui s'agrafait par-devant – d'où les seins s'échappaient, plus gros qu'il ne se les rappelait, les mamelons grands et bruns.

Je parie que tu as été privé de ça, hein, mon chou ? Ou que tu n'as baisé que des Jaunes ? Tu as oublié à quoi ça ressemble une chatte américaine ?

Il avait eu peur de ne même pas pouvoir bander, mais elle avait fait ce qu'il fallait pour ça.

Tu t'allonges et tu te laisses aller. Moi, je fais le travail.

Ce fut fini en cinq minutes, peut-être moins. Aussitôt après, elle avait sauté du lit et rectifié son maquillage. Pas le moment d'attraper des boutons, dit-elle.

Il se révéla qu'elle avait apporté ses affaires. Sous-vêtements, déodorant, bigoudis chauffants, shampooing, produits de beauté, même sa trousse à ongles. Cette nuit-là, lorsqu'ils regagnèrent la chambre, elle lui demanda s'il voulait remettre ça, et quand il lui dit qu'il se sentait encore fatigué – le voyage, l'avion –, elle n'insista pas.

Faut que je te prévienne, dit-elle. Tu étais si excité cet après-midi que je n'ai pas pensé au préservatif. Espérons que c'est pas ma période. Ma sœur s'est fait mettre en cloque la première fois qu'elle et Jay ont baisé. Une bénédiction, naturellement. Qui avait donné sa nièce, Jaynelle.

Deux semaines plus tard, elle lui annonça qu'elle n'avait pas eu ses règles. Et deux jours après, que le test était positif. Comme qui dirait que tu vas devenir papa. Une phrase qu'elle donnait l'impression d'avoir répété. Dans la voiture, en revenant de la ville, peut-être. Elle avait déjà acheté une blouse de grossesse. *Bébé à bord.*

Tu avais dû les emmagasiner trop longtemps, tes spermes étaient trois fois plus puissants que des spermes ordinaires.

C'était le terme qu'elle avait utilisé. Spermes.

Soudain, comme s'ils avaient attendu tout ce temps en coulisse et venaient d'être propulsés sur scène, ils furent pris dans le tourbillon des achats. Parc pour bébé, table à langer, chaise haute, d'autres blouses de grossesse, pantalon avec élastique à la taille, de la crème pour éviter les vergetures, et qu'elle lui demandait d'appliquer sur son ventre, afin, disait-elle, qu'il se sente plus concerné dans le déroulement de la grossesse.

Elle commanda un berceau, une poussette, un lit portable sur le catalogue de la chaîne Montgomery Ward. Elle dressa une liste des noms de fille qu'elle aimait. Si c'était un garçon, bien entendu il s'appellerait Frank. Elle avait déjà transféré presque tout ce qu'elle possédait dans la chambre, chez la grand-mère – ses vêtements remplissaient le placard et tous les tiroirs, sauf un, son poster de Ryan O'Neal, le plus bel homme du monde après Frank, disait-elle, ornait un des murs. Mais, disait-elle aussi, peut-être pourraient-ils s'étaler un peu plus dans la maison, vu que la grand-mère était une vieille femme seule. Cette pièce où elle s'installait pour coudre, par exemple, serait parfaite pour le bébé. Et puis ils devaient acheter une autre télé, avec un écran plus grand.

L'idée ne s'insinua dans le cerveau de Frank que beaucoup plus tard. Entre-temps, ils s'étaient mariés. Mandy était enceinte de sept mois – le bébé devait naître aux alentours de la Saint-Valentin, mais il débarqua fin décembre, c'était un garçon. Frank se rasait devant le miroir de la salle de bains, le pourtour du lavabo et la tablette au-dessus des toilettes encombrés de tous les articles de toilette de Mandy. Il réfléchissait à la quantité de produits que les femmes semblaient avoir besoin d'utiliser avant de sortir dans le monde, et que Mandy avait apportés dès le premier jour de leurs retrouvailles. Crème, fond de teint, laque pour les cheveux, déodorant intime, que sais-je.

Il y avait une chose pourtant que Mandy ne possédait pas. Il l'avait découvert quand sa sœur, venue les voir, s'était brusquement levée du canapé. Waou, s'était-elle écriée, les Anglais ont débarqué. Tu as une serviette, Mandy ?

C'était au tout début, avant même le test de grossesse, et Mandy ne possédait ni serviettes ni tampons hygiéniques. Comme si elle avait su qu'elle n'en aurait pas besoin pendant un certain temps.

Nous étions tous les trois dans la cuisine quand Frank raconta l'histoire de son mariage. À un moment – le passage sur la chatte américaine – ma mère avait jeté un coup d'œil dans ma direction, comme si elle venait de se rappeler qu'elle avait un fils, mais je mordillais mon crayon, l'air de ne m'intéresser qu'à une seule chose au monde, mes mots croisés. Soit elle pensa que je n'écoutais pas, soit elle se dit que je ne comprenais pas, soit elle savait que je comprenais, mais ça lui était égal. De fait, bien avant l'irruption de Frank dans notre vie, ma mère avait pris l'habitude de me parler de choses que les autres mères n'abordaient jamais avec leurs enfants. Aussi bien les syndromes prémenstruels que les avis de la compagnie de téléphone annonçant la coupure définitive de la ligne. Je savais qu'elle avait failli se faire violer un soir, alors qu'elle quittait le restaurant de Boston où elle travaillait comme serveuse, c'était avant sa rencontre avec mon père, sauf que le cuisinier était arrivé juste au bon moment pour chasser le type, sauf aussi que le cuisinier en avait conclu qu'elle lui devait quelque chose.

Voilà le genre d'histoires que j'entendais. Celle de Frank n'était guère différente, sinon qu'elle était racontée du point de vue de l'homme. D'où le fait que je ne connaissais pas l'expression « chatte américaine ».

Frank et sa grand-mère étaient restés dans la salle d'attente de l'hôpital pendant que Mandy accouchait. C'est ce qui se faisait à cette époque-là, expliqua-t-il.

J'ai l'impression de t'avoir laissé tomber, Frankie, lui avait dit sa grand-mère ce jour-là. Tout s'est passé si vite à ton retour. J'ai toujours voulu que tu ailles à l'université. Que tu aies le temps de réfléchir à ce que tu voulais faire avant de te lancer.

Tout va bien, grand-mère.

Il venait d'avoir vingt et un ans. Il était marié à une femme qui passait ses après-midi à regarder la télé et à discuter au téléphone avec sa sœur des personnages de *La Force du destin*. Après la flambée qui avait suivi le retour de Frank, l'activité sexuelle avait perdu tout intérêt pour Mandy. Il espérait que les choses changeraient après la naissance du bébé. Elle avait émis l'idée récemment que, si la grand-mère partageait la propriété et leur donnait du terrain, ils pourraient en vendre une partie pour s'acheter un camping-car. Faire pousser des sapins de Noël, c'était ça l'avenir qu'il lui proposait ? S'imaginait-il qu'elle continuerait de vivre avec un homme aux mains en permanence enduites de résine ?

Sois réaliste, disait-elle, maintenant la plupart des gens préfèrent acheter un arbre artificiel. Comme ça, ils le paient une fois pour toutes, fini tout ce bordel d'aiguilles qui tombent et bouchent ensuite l'aspirateur.

Maintenant, dans cette salle d'attente de l'hôpital, il se rendait brusquement compte que, depuis tant de mois, c'était la première fois qu'il se retrouvait seul avec sa grand-mère.

Tu ne m'as jamais vraiment raconté comment c'était

là-bas, lui dit-elle. Là-bas, ça signifiait, le Vietnam, la jungle, sa section. Je ne connais que les photos qu'ils montrent à la télé et dans *Life*.

En gros, ça ressemblait à ce que tu imagines. Le truc habituel, tu sais. La guerre.

Tu es comme ton grand-père. Quand je lui demandais de me raconter ce qui s'était passé dans le Pacifique, il parlait des poules ou de la tondeuse à gazon.

Dès le début du travail, les docteurs avaient proposé une anesthésie péridurale, que Mandy avait acceptée avec joie. Au milieu de la nuit, une infirmière arriva et lui présenta son fils.

Les mois précédents, il avait été si occupé par toutes ces histoires de berceau, de poussette, de siège spécial voiture, de layette, qu'il avait presque oublié qu'au bout de la chaîne, il y aurait un bébé. Maintenant on lui posait sur les bras la couverture à l'intérieur de laquelle gigotait la forme tiède de Francis Junior. Une petite main, émergeant du tissu, aux longs doigts roses avec des ongles qui paraissaient déjà avoir besoin d'être coupés. Avant même le visage, c'était la main de son fils que Frank avait vue, qui semblait le saluer, ou implorer.

La tête couverte de cheveux – roux, ce qui était surprenant – et un long corps, avec la pince en plastique à l'emplacement du futur nombril, un minuscule pénis, parfait, aux couilles étonnamment bien constituées. Les minuscules coquilles de ses oreilles. Il avait les yeux ouverts, et l'infirmière avait beau affirmer qu'il était incapable de fixer quoi que ce soit, à son expression on voyait bien qu'il regardait Frank en face.

Il ne lui était encore rien arrivé de mal. Jusque-là, sa vie avait été parfaite, mais dès maintenant les choses allaient commencer de changer.

Pour une raison quelconque, la vue du bébé – son corps nu et vulnérable peut-être – avait rappelé à Frank certaines images, celles de villages que lui et sa compagnie avaient traversés alors qu'ils crapahutaient dans la jungle. D'autres enfants, auxquels il ne voulait pas penser. Des mains tendues vers lui, dans d'autres circonstances.

Il avait alors pris conscience d'un bruit – mélange de vrombissement et de sons perçants. Ce n'était que la machine à encaustiquer le sol, mais il avait instinctivement couvert de ses mains les oreilles de Francis Junior.

Trop fort, avait-il dit, se rendant compte aussitôt qu'il hurlait, comme s'il se trouvait pris sous des tirs de canon au lieu des grondements d'une cireuse électrique.

Je suis sûre que vous voulez voir votre femme, lui dit l'infirmière. *Sa femme.* Il l'avait presque oubliée.

On le conduisit dans la salle d'accouchement. L'infirmière avait repris le bébé, il avait donc les bras libres. Il savait qu'on attendait de lui qu'il fasse quelque chose. Entourer sa femme de ses bras ? Lui caresser les joues ? Lui poser un linge humide sur le front ? Mais il restait là, les bras ballants.

Tu as fait du bon travail, dit-il. C'est un vrai bébé.

Je vais enfin pouvoir retrouver ma forme.

L'allaitement, ça abîme complètement les nichons. Elle avait vu à quoi ressemblaient ceux de sa sœur après que Jaynelle s'y était pendue pendant sept mois. En tout cas, avec le biberon, Frank pourrait l'aider à nourrir le petit, ce qu'il fit. La nuit, quand le bébé pleurait, c'était Frank qui se levait pour faire chauffer la bouillie, s'asseyait dans le noir avec lui, sur le fauteuil dans la cuisine de sa grand-mère, le regardait tirer sur la tétine, puis se promenait avec lui, en attendant qu'il fasse son rot. Parfois, après que c'était fait, il continuait encore un peu à déambuler à travers la maison. C'est ce qu'il aimait : rien que lui et le bébé.

Il lui arrivait de parler à son fils. Si Mandy avait entendu ce qu'il disait, elle l'aurait traité de cinglé. Mais, dans le calme de la nuit, avec personne autour, il pouvait expliquer à Frank Junior comment pêcher le bar et tailler les arbres, lui raconter la fois où, il avait quatorze ou quinze ans, son grand-père l'avait emmené dans le potager voir les citrouilles qui commençaient juste à se former et l'avait autorisé à en choisir une et à graver ce qu'il voulait sur l'écorce. À l'aide du canif du grand-père il avait gravé les initiales d'une fille qu'il aimait – Pamela Woods – et ses initiales à lui. Il prévoyait de lui donner la citrouille au moment de Halloween, mais, en octobre, elle s'était trouvé un nouveau petit ami, un garçon de l'équipe de basket.

Il raconta aussi à Frank Junior l'histoire de sa première voiture, comment il avait grillé le moteur en oubliant de mettre de l'huile, mais que son grand-père lui avait pardonné.

Une nuit, après avoir promené Frank Junior pendant des heures, il lui parla de l'accident, et qu'il avait entendu, bloqué impuissant à l'arrière du break, les gémissements de sa mère. Puis, sans transition, il évoqua le village qu'ils avaient traversé, lui et ce qui restait de sa compagnie, et où son copain du Tennessee était devenu fou à la suite de l'explosion d'une grenade à côté de lui. La femme dans la hutte. La petite fille sur la natte. Toutes choses dont il n'avait encore jamais parlé à personne, et qu'il confia à son fils cette nuit-là.

Ce qui plaisait à Mandy, c'était d'attifer le bébé et d'aller ensuite en poussant le landau faire des courses au centre commercial. Ils se firent photographier tous les trois chez Sears, sur fond de champs et de montagnes, Frank le bras passé autour des épaules de Mandy, qui tenait Francis Junior, aux cheveux roux coiffés en une seule boucle. Frank craignait que le flash fasse mal aux yeux de son fils, Mandy avait ri.

Tu ne vas pas en faire une femmelette ? Il faut endurcir les garçons.

Dès son retour de l'hôpital, elle avait dit qu'elle ne supportait pas de rester à la maison. Je deviens cinglée, à écouter toute la journée ta grand-mère raconter ses vieilles histoires.

Alors Frank l'emmena dîner – un restaurant italien, avec du vin et sur la table une bougie, dont la cire en fondant colorait de teintes d'arc-en-ciel les parois de la bouteille dans laquelle elle était plantée, mais on croyait manger les spaghettis en boîte Chef Boyardee. En payant la note, Frank se dit que, pour la même somme, il lui aurait concocté quelque chose de bien meilleur.

Et puis il n'aimait pas laisser Francis Junior aux soins de sa grand-mère. Elle avait eu une attaque l'année précédente, légère, mais le docteur pensait qu'elle risquait fort d'en avoir une autre. Suppose que ça arrive pendant qu'elle garde le bébé ?

Donc la plupart du temps, Frank restait à la maison pendant que Mandy sortait voir sa sœur et ses copines. Elle avait trouvé un nouveau boulot, dans un Wendy's qui venait d'ouvrir sur l'autoroute.

Un jour qu'ils faisaient des courses, un couple les avait croisés. La femme enceinte de plusieurs mois, l'homme la tenant par les épaules. Jeunes tous les deux, probablement l'âge de Frank et de Mandy, encore que Frank se sentît bien plus âgé. Le type avait ce côté beau garçon qu'ont parfois les roux. Rappelant assez Ryan O'Neal, avec un début de brioche.

Quand le couple était arrivé à leur hauteur, Mandy s'était raidie, elle avait suivi l'homme des yeux.

Tu le connais ?

Il vient au restaurant parfois.

Puis elle se mit à fréquenter le bowling. À jouer au Bingo. Puis il y eut les verres avec sa sœur, des coups de fil de plus en plus fréquents, un soir qu'il rentrait plus tôt que d'habitude, il l'entendit rire et parler au téléphone, sur un ton qu'elle n'employait jamais avec lui.

Une nuit, il confia le bébé à sa grand-mère et, prenant

le camion, se dirigea vers la salle de bowling du Moonlight Lanes. L'équipe féminine ne joue pas le jeudi, lui dit le gérant. Vous avez dû confondre les jours.

De là, il gagna le Wagon Wheel et, ne voyant pas la voiture de Mandy sur le parking, il essaya le Harlow. Elle était dans un box, un type vêtu du maillot des Phillies lui pelotait le genou.

Nous discuterons de ça plus tard, à la maison, avait dit Frank.

Il était rentré, mais elle n'avait pas réapparu de la nuit, ni de la journée et de la nuit suivantes. Frank Junior semblait s'en accommoder très bien, et il commença à se dire que, si elle lui laissait le bébé, elle pouvait faire ce qu'elle voulait. Finalement, elle s'amena le troisième jour, à l'heure du dîner. Un coup d'œil sur Mandy, un sur Frank, et la grand-mère dit : « Je monte avec le bébé. » D'en bas, on entendait gazouiller Francis Junior, et couler l'eau du bain.

Mandy le quittait. Elle avait rencontré un homme, un vrai. Quelqu'un pour la sortir d'ici, la débarrasser de lui et de ses sapins de Noël.

Je ne te l'ai jamais dit, parce que je ne voulais pas te faire de peine. Mais, au lit, j'ai jamais eu de plaisir. J'ai toujours fait semblant.

Il y avait plus encore, dit-elle. Inutile de tout récapituler. Le principal, c'était qu'elle ne l'avait jamais aimé. Elle éprouvait juste de la pitié pour lui, avec la guerre et tout le reste, qui ne trouverait personne d'autre pour l'accueillir à son retour qu'une vieille femme sénile, qui cultivait des citrouilles.

Pourquoi Frank ne s'en était-il pas tenu là ? Mystère. Il n'avait aucun besoin de connaître la suite, ça ne changerait rien à ses sentiments envers son fils. Pourtant quelque chose le poussa à demander si le garçon était de lui.

Elle avait ri. Peut-être que si elle n'avait pas été à demi ivre, elle aurait répondu différemment, le fait est que, rejetant la tête en arrière, elle avait éclaté de rire et qu'il lui avait fallu une bonne minute avant de pouvoir lui donner la réponse.

C'est alors qu'il l'avait poussée. Sûr qu'il voulait lui faire mal, mais pas au point de la faire tomber. La tête avait frappé la pierre de la première marche de l'escalier. Un petit filet de sang lui coulait de l'oreille, rien de plus. Sauf que le cou était brisé.

Ce n'est qu'au bout de plusieurs minutes – qu'il avait passées agenouillé à côté d'elle, lui tenant la tête dans ses mains – qu'il se rendit compte que l'eau coulait toujours là-haut. La baignoire avait dû déborder, car l'eau traversait le plafond, à flot maintenant, comme si un tuyau avait éclaté. Le genre de cataracte qu'il avait connue dans la jungle.

Il monta l'escalier quatre à quatre, ouvrit la porte de la salle de bains. Une autre femme gisait sur le sol – sa grand-mère. Son cœur avait tout simplement cessé de battre.

Et dans l'eau, ses cheveux roux collés à sa peau pâle, ses maigres jambes flasques, les bras le long du corps et la tête renversée, une telle stupeur dans les yeux que seule la contemplation d'un phénomène extraordinaire pouvait l'avoir causée, reposait le corps de Frank Junior.

Dès la première comparution de Frank devant le tribunal, l'avocat commis à sa défense plaida un cas indubitable d'homicide involontaire.

Frank était responsable de la mort de Mandy, déclarat-il. Il n'avait jamais eu l'intention de tuer sa femme, mais c'est ce qui s'était produit. Il reconnaissait le fait et accepterait la sanction.

Mais ils n'avaient pas prévu ce qui allait suivre. La sœur de Mandy vint déclarer que Frank n'était pas le père du bébé et que, l'ayant découvert, il avait tué l'enfant.

Et que faites-vous de ma grand-mère? demanda-t-il. Le docteur a confirmé la crise cardiaque. C'était un accident.

Certes, admit le procureur. Quelle vieille femme au cœur malade n'en aurait pas eu une à la vue de son arrière-petit-fils assassiné par la chair de sa chair?

Frank fut donc accusé de meurtre. Son avocat, sentant que les choses tournaient mal, fit venir, à la toute fin du procès, un expert en troubles affectifs post-traumatiques. Les deux hommes plaidèrent l'insanité temporaire. Mais, à ce stade, Frank s'en fichait. Quelle différence cela faisait-il?

Il fut condamné à vingt ans fermes, avant toute possibilité de libération conditionnelle. Il purgea les huit premiers à l'hôpital psychiatrique de l'État. Quand il fut jugé rétabli, on le transféra en centrale. Il lui restait deux ans à tirer quand il avait sauté par la fenêtre.

Mais il savait qu'il devait sortir de là, nous dit-il. Je savais que j'avais une bonne raison de sauter. Et, de fait, je ne me trompais pas.

La raison, c'était elle. Ma mère. Il l'ignorait à l'époque, mais il avait sauté par la fenêtre afin de venir la sauver.

# 13

Ma mère me demanda d'aller à la bibliothèque à sa place. Elle et Frank voulaient un livre sur le Canada. Les Provinces maritimes. Par mesure de sécurité, il valait mieux que j'y aille seul, d'un coup de vélo.

Tu comprends, Henry, dit Frank, je retiens ta mère ici. Souviens-toi du début, quand je l'avais attachée. C'est ce qu'on appelle une prise d'otage.

Ces mots me rappelèrent ce qui s'était passé, quand un an ou deux après le divorce mon père avait fait je ne sais quelle démarche et qu'une femme appelée *tutrice ad litem* était venue poser des questions à ma mère sur son comportement.

Nourrissez-vous de l'amertume ou du ressentiment envers votre ex-mari ? demanda la femme. Exprimez-vous cette amertume par de la colère envers votre fils ?

Je n'éprouve ni amertume ni colère envers le père de mon fils, dit ma mère. (Voix sans timbre. La bouche arrondie en une sorte de sourire.) Je pense qu'il fait du bon boulot.

Et comment décririez-vous votre attitude envers la femme de votre ex-mari ? La belle-mère de votre fils ? Diriez-vous qu'il vous est arrivé d'intervenir sur un mode négatif dans leur relation ?

Marjorie est une gentille personne. Je suis sûre que nous finirons tous par nous entendre.

La tutrice en question n'a pas vu la scène qui a suivi son départ. Ma mère ouvrant le réfrigérateur et saisissant le pichet de lait (du vrai lait, à l'époque elle faisait encore ses courses à l'épicerie). La tutrice ne l'a pas vue ouvrir le pichet et, debout au milieu de la cuisine, verser tout le contenu sur le sol comme si elle arrosait un pot de fleurs.

Donc, pour en revenir à Frank, je n'ai pas douté que, comme ma mère des années auparavant, il disait ces mots – *une prise d'otage* – parce qu'il savait que c'étaient ceux qu'il devait employer. Quoi que j'aie pensé de ce qui se passait entre lui et ma mère – qu'ils se préparaient à s'enfuir vers un quelconque village de pêcheurs au Canada et à me laisser aux soins de mon père et de Marjorie –, je n'ai jamais cru que Frank avait l'intention de faire du mal à ma mère. Tout son discours, c'était pour s'assurer que nous n'aurions pas d'ennuis si on le découvrait caché chez nous.

Je ne raconterai rien, ai-je dit, jouant mon rôle de fils effrayé aussi bien que Frank avait joué le sien, celui de prisonnier en cavale et sans cœur.

En ce dimanche après-midi du long week-end de Labor Day, il n'y avait pas foule à la bibliothèque de Holton Mills. En fait elle n'était ouverte que parce qu'il y avait une vente de livres, l'argent devant servir à acheter de nouveaux rideaux ou quelque chose d'approchant. Devant, sur la pelouse, des femmes vendaient de la limonade et des biscuits de farine d'avoine, un clown sculptait des ballons, et il y avait des boîtes pleines de livres en solde, du genre recueil de recettes de cuisine à faire dans une sauteuse Crock-Pot, et l'autobiographie de Donny Osmond. C'était gai, ça grouillait de monde, les gens parlaient de la chaleur et comparaient leurs méthodes pour se maintenir au frais. Bien entendu, ils ne s'adressaient pas à moi. J'avais l'impression de produire des ondes sonores, trop aiguës pour l'oreille humaine, qui transmettaient un message : *N'approchez pas.* Tous ces gens heureux et joyeux, qui mâchonnaient des biscuits et farfouillaient dans les piles de vieux almanachs et des manuels *La Culture physique de Jane Fonda* (j'en ai remarqué trois exemplaires) ne pouvaient évidemment pas savoir ce qui se passait chez moi, mais je devais donner l'impression d'un type que n'intéressent ni les sculptures de ballon ni les lectures de plage, ce qui était exact.

Tout en montant les marches menant à l'intérieur du bâtiment, je me disais que je devais être la seule personne de toute la ville qui ne participait pas à un barbecue aujourd'hui, ne jouait pas au Frisbee, ne coupait pas les pommes de terre en salade, et ne barbotait pas dans une piscine. Une chose était de faire un saut ici pour acheter de vieux Agatha Christie et boire une limonade. Mais qui d'autre qu'un pauvre minable pouvait venir à la bibliothèque chercher des renseignements sur l'île du Prince Edward le dernier week-end d'été précédant la rentrée des classes ?

Sauf que cet autre minable existait. Au féminin. Installée dans la salle de lecture, où j'étais entré pour consulter l'encyclopédie et prendre des notes – en ce temps-là on se servait encore d'une encyclopédie comme instrument de savoir. Assise dans un de ces fauteuils de cuir que j'aimais, sauf qu'elle s'y tenait en position de lotus, l'air de méditer, un livre posé devant elle. Les cheveux coiffés en une seule natte, des lunettes sur le nez, elle portait un short court, qui laissait voir une bonne partie des jambes, révélant ainsi sa maigreur.

Elle semblait avoir mon âge, mais je ne me souvenais pas de l'avoir jamais croisée. Normalement ma timidité m'aurait empêché de lui adresser la parole, mais peut-être sous l'influence de Frank – son évasion par la fenêtre et toutes les autres cingleries qu'il avait faites depuis, l'idée que le monde est tellement givré qu'on ne risque pas grand-chose à foncer – j'ai demandé à la fille si elle fréquentait une école du coin.

Non, pas encore, je viens juste d'arriver. Je suis censée essayer de vivre avec mon père pendant cette année. La raison officielle, c'est que j'ai un trouble du comportement alimentaire, et ils espèrent qu'un nouvel environnement scolaire va m'aider, en réalité je crois que ma mère veut juste se débarrasser de moi pour pouvoir s'amuser avec son copain sans m'avoir dans les pattes.

Je connais ça, lui ai-je dit. Jamais je n'aurais imaginé discuter avec qui que ce soit de ce qui se passait entre ma mère et Frank, mais cette fille semblait pouvoir comprendre, et puis elle ne connaissait personne dans le coin, et puis elle me plaisait. Pas à proprement parler jolie, mais elle donnait l'impression de s'intéresser à des choses dont plein de filles se fichaient, qui ne pensaient qu'aux fringues ou à dégoter un petit ami.

Je lui ai demandé ce qu'elle lisait. Je cherche des renseignements sur mes droits légaux. Et sur la psychologie enfantine.

Elle menait une étude sur certaines sortes de traumatismes d'adolescents afin de prouver à ses parents qu'elle souffrait de l'un d'entre eux.

Elle s'appelait Eleanor. Normalement, elle habitait Chicago. Jusqu'à maintenant, elle ne venait ici que pour certaines vacances scolaires. Elle entrait en troisième. Elle avait été admise dans cette école privée géniale où ils mettent l'accent sur le théâtre, où les élèves se fichent complètement du sport, où on peut s'habiller comme on veut et même porter un anneau dans le nez, où les profs sont pas toujours sur ton dos, mais à la dernière minute elle n'avait pas pu y aller.

Mes stupides parents ont dit qu'on n'avait pas les moyens. Alors, salut le collège Holton Mills.

Moi, je vais entrer en quatrième, ai-je dit. Je m'appelle Henry.

J'avais rassemblé un tas de bouquins sur les Provinces

maritimes – on dit simplement les Maritimes –, je les ai posés par terre à côté de l'autre chaise en cuir, en face de celle d'Eleanor.

Qu'est-ce que tu dois faire, écrire un compte rendu ? me demanda-t-elle.

Un truc de ce genre. C'est pour ma mère. Elle veut savoir si ça serait bien d'aller vivre au Canada.

Sans savoir pourquoi, je n'avais pas envie de mentir à Eleanor. Ma mère et son copain, ai-je ajouté. Ce mot, je ne l'avais jamais utilisé auparavant. Pas en tout cas associé à quoi que ce soit concernant ma mère. Je l'essayais : il ne semblait pas nocif. Si votre mère a un copain, ce n'est pas forcément un prisonnier évadé.

Et quel effet ça te fait, de quitter tes amis ? Je te pose la question parce que c'est ce que j'ai dû faire pour venir ici, et franchement j'estime que c'est de la maltraitance d'enfant. Non que je sois encore une enfant, mais d'un point de vue légal, sans compter les effets psychologiques. Tous les experts te le diraient : particulièrement au moment de la puberté, il est hautement déconseillé à quelqu'un de devoir former de nouveaux liens avec de nouvelles personnes qui risquent de n'avoir rien en commun avec lui. Spécialement, sans vouloir t'offenser, si la personne en question est habituée à vivre dans une ville cosmopolite avec des trucs du genre clubs de jazz et instituts d'art, et découvre que les principales attractions du coin sont le bowling et le jeu de fer à cheval. Quand je raconterai ça à mes amis, personne ne voudra me croire. Je ne dis pas que ça te concerne, c'est juste une impression générale.

Je n'avais pas envie de lui dire que, pour ce qui me

concernait, je n'avais pas d'amis. Personne en tout cas que j'aurais beaucoup de mal à quitter – juste quelques parias de mon genre à l'école, qui s'asseyaient à la même table de la cafète, celle des ratés, quand les autres ne voulaient pas d'eux à la leur. La Sibérie.

Dans mon cas, ai-je dit, le problème n'était pas de partir. C'était de rester. Peut-être s'agissait-il d'une nouvelle tendance, qui se répandait dans la communauté des mères. Parce que la mienne aussi semblait vouloir se débarrasser de moi. J'avais comme l'impression qu'elle et son copain envisageaient de me refiler à mon père et à sa femme, Marjorie, qui avait un fils de mon âge probablement le favori de mon père, et à leur bébé, qui me crachait dessus chaque fois qu'on m'obligeait à le tenir.

Je n'aurais jamais cru que ma mère ferait une chose pareille, ai-je ajouté.

C'est sexuel, dit Eleanor. Les rapports sexuels, ça trouble le cerveau des gens qui en ont. Ils ne voient plus les choses normalement.

J'aurais pu dire que la façon dont ma mère voyait les choses avant même d'avoir eu des rapports sexuels avec Frank n'était pas ce que la majorité des gens considèrent comme normale. Je me demandais si Eleanor connaissait les effets des rapports sexuels par expérience, ou si elle aussi avait appris ça dans un livre. Elle n'avait pas l'air de quelqu'un qui en avait déjà eu, mais sûrement de quelqu'un qui en connaissait un max, en tout cas beaucoup plus que moi. Si elle parlait d'expérience, pas question de révéler que j'en manquais totalement, à l'exception de ce qui se passait dans mon lit la nuit. Et qui, d'ailleurs, étant donné l'effet que cette activité avait sur le fonctionnement de mon cerveau, confirmait la théorie d'Eleanor. Je n'arrêtais pas de penser au sexe, sauf quand je pensais aux relations entre ma mère et Frank, mais là aussi je butais sur le sexe.

C'est comme s'ils étaient drogués, ai-je dit. Je me rappelais une pub à la télé. On commence par voir une poêle à frire sur la cuisinière, puis deux mains tenant un œuf.

*Ceci est votre cerveau*, dit la voix.

Les mains cassent l'œuf. L'œuf atterrit dans la poêle. On regarde le blanc et le jaune grésiller et changer de couleur.

*Ceci est votre cerveau sous l'effet de la drogue.*

Eleanor me dit qu'elle était venue à la bibliothèque découvrir si une personne mineure (elle avait quatorze ans) avait le droit de poursuivre ses parents en justice. Elle envisageait de contacter un avocat, mais elle voulait d'abord connaître les notions de base.

J'ai écrit au pensionnat où je devais aller, dit-elle. Pour leur demander s'ils étaient toujours prêts à m'accepter, et que je proposais de laver les toilettes ou autre chose pour payer mes frais de scolarité. Mais je n'ai pas reçu de réponse.

À mon tour je lui ai dit que dès l'ouverture des banques mercredi matin, à l'heure où je devrais partir pour l'école, ma mère irait probablement retirer tout son argent et qu'elle et son copain fileraient vers le Nord. En ce moment même, elle devait être en train de faire ses bagages. C'était peut-être la vraie raison pour laquelle ils m'avaient expédié dehors. Ça, ou pour faire encore plus l'amour.

Est-ce que ta mère c'est le genre qui sort toujours avec un million de types ? me demanda Eleanor. Qui saute de bar en bar et répond aux petites annonces de rencontres ?

Non, pas elle. Ma mère, c'est le genre de personne qui – je me suis interrompu. En réalité, c'était le genre de personne indescriptible. Elle ne ressemblait à nulle autre sur cette terre.

J'ai repris : ma mère, c'est… Sans le moindre avertissement, ma voix s'est fêlée au milieu de la phrase. J'ai essayé de faire croire que c'était juste pour m'éclaircir la gorge, mais Eleanor n'a pas pu ne pas voir que j'étais bouleversé.

Tu peux même pas dire que c'est sa faute, déclara-t-elle. C'est comme si son copain lui avait jeté un sort, tu comprends, comme s'il l'avait hypnotisée. Ces types, ils se servent de leur pénis comme d'une de ces vieilles montres avec une chaîne.

J'ai pris mon air le plus naturel. Je n'avais encore jamais entendu une fille prononcer tout haut le mot pénis. Ma mère, oui, bien entendu. Un été que j'avais eu les jambes et les cuisses couvertes de boutons à cause d'une plante vénéneuse, elle m'avait demandé si j'en avais aussi sur le pénis, et encore l'été d'avant, quand j'avais essayé d'exécuter un superbe saut périlleux par-dessus un poteau de granite – elle s'était agenouillée à côté de moi qui geignais en me tenant l'entrejambe et m'avait demandé de lui montrer mon pénis.

Il faut que je voie si ça justifie d'aller aux urgences, m'avait-elle dit. Pas question de risquer de compromettre le futur fonctionnement de ton pénis ou de tes testicules.

Mais j'étais habitué à ses façons de s'exprimer. Entendre Eleanor parler de cette partie de mon corps – dont moi-même je ne parlais jamais – était beaucoup plus dérangeant. Pourtant, dès cet instant, j'ai eu le sentiment que nous allions pouvoir parler de tout et de n'importe quoi. Nous avions franchi les frontières de l'interdit.

Ma chambre est à côté de la sienne, ai-je dit. La nuit je les entends le faire. Ma mère et... Fred.

Le nom m'était venu soudainement. Pour protéger l'identité de Frank.

Donc, c'est un drogué du sexe, dit-elle. Ou un gigolo. Peut-être les deux.

Mais je savais que ce n'était pas le cas. J'aimais Frank. En réalité, c'était ça le problème, dont je refusais de discuter. Je l'aimais si bien que j'avais voulu moi aussi partir avec lui. Que je l'avais imaginé devenir membre de notre famille. Durant ces quelques jours heureux que nous venions de vivre ensemble, où il avait traîné dans la maison entre ma mère et moi, je n'avais pas compris que c'était ma place qu'il allait prendre.

Tu aurais pas une sorte de complexe d'Œdipe? dit-elle. Tu sais, quand on veut épouser sa mère? Ça arrive parfois chez les garçons, mais en général, à ton âge ils s'en sont débarrassés.

J'aime les filles, point barre. De mon âge, ou un peu plus vieilles, mais à peine.

Si elle prenait ça pour elle, je n'y voyais pas d'inconvénient.

Ma mère, je l'aime comme une mère.

Dans ce cas, tu devrais envisager une intervention.

C'est ce que ma mère a fait avec moi, mais, si tu veux mon opinion, la personne qui avait besoin d'une intervention, c'était elle et son givré de copain. Mais d'un point de vue psychologique, c'est une méthode très efficace.

Voilà : dans le cas où ta mère est comme envoûtée par quelqu'un, tu dois la déprogrammer. On faisait ça à des gens qui adhéraient à des cultes, à l'époque où ce truc était très populaire. Il y a eu une fille, elle s'appelait Patty Hearst, elle venait d'une famille riche genre *Dallas*, on l'a kidnappée et très vite les kidnappeurs, qui étaient aussi des gauchistes très séduisants, l'ont convaincue de dévaliser des banques.

Ça se passait avant qu'on soit nés, toi et moi, a continué Eleanor. Ma mère m'a raconté l'histoire. L'homme qui avait kidnappé Patty Hearst possédait un truc appelé charisme, qui a tellement agi qu'elle s'est mise à porter des vêtements militaires et une mitrailleuse. Quand ses parents l'ont finalement ramenée à la maison, ils ont dû l'envoyer voir des tas de psychiatres pour l'aider à retrouver son ancien moi. Parfois les gens ont du mal à déterminer qui sont les bons et qui sont les méchants. Ça les perturbe. Peut-être que personne n'est réellement bon, c'est probablement pour ça que Patty Hearst s'est embringuée avec les voleurs de banque. Elle avait déjà tant de problèmes que ça l'a rendue vulnérable.

Portrait tout craché de ma mère.

Il lui a lavé le cerveau grâce au pouvoir du sexe.

Si c'est réellement le cas, comment la faire redevenir ce qu'elle était ? ai-je demandé. (Je n'ai pas osé dire normale. Juste ce qu'elle était auparavant.)

Le sexe est trop puissant, a dit Eleanor. Tu peux rien faire pour le neutraliser.

En d'autres termes, la situation était désespérée. Ma mère était foutue. Je regardai la pile de livres à mes pieds. L'un était ouvert à une page montrant une photo de l'île du Prince Edward, un paysage de coteaux couverts de champs et l'océan en arrière-plan. C'est là que vivait Anne, la fille de *La Maison aux pignons verts*, me fit remarquer Eleanor, mais c'était une tout autre histoire. Une fois que ma mère s'y serait installée avec Frank, elle ne reviendrait jamais.

Pour le cas où le divorce de tes parents n'aurait pas encore assez bousillé ta personnalité, ajouta Eleanor, cette affaire-là va probablement te flanquer une névrose magistrale. J'espère pour toi que tu seras capable de gagner plein d'argent pour payer la thérapie dont tu auras besoin.

Tout en parlant, elle mâchonnait sa tresse. L'idée m'a frappé que c'était peut-être un substitut de nourriture. Elle s'était levée, et maintenant que je la voyais debout, je découvrais qu'elle était encore plus maigre que je l'avais imaginé. Elle avait aussi enlevé ses lunettes, révélant des cernes noirs sous les yeux. Elle faisait à la fois vieille et très jeune, une toute petite fille.

Je ne vois qu'une solution pour toi, reprit-elle. Je veux pas dire qu'il faut le tuer ou quelque chose de ce genre. Tu dois trouver un moyen de le virer de ton existence.

Je ne sais pas si c'est possible.

Écoute, Hank. (Hank? Où était-elle allée chercher ça?) Soit tu te débarrasses de lui, soit il se débarrasse de toi. Qu'est-ce que tu préfères?

À mon retour à la maison, j'ai trouvé ma mère et Frank qui se préparaient à peindre les contre-fenêtres. Je n'aurais pas cru que c'était le genre de boulot auquel s'intéresseraient deux personnes sur le point de quitter définitivement leur pays, mais peut-être que ma mère voulait vendre la maison pour pouvoir acheter la ferme sur l'île du Prince Edward. Au cas où ce qu'elle avait en banque ne suffirait pas. Alors elle voulait laisser l'endroit le plus joli possible.

Salut, mon pote. Tu tombes à pic, dit Frank. Ça te dirait de décaper ces trucs avec moi ?

Ma mère se tenait à ses côtés, vêtue de la salopette qu'elle mettait toujours pour travailler dans le jardin, à l'époque où nous en avions un, les cheveux tirés en arrière, retenus par un bandeau. Ils avaient démonté toutes les contre-fenêtres, dégoté un grattoir et du papier de verre.

Qu'est-ce que tu en penses ? me demanda-t-elle. Ça fait deux ans que ça n'a pas été nettoyé. Frank dit que si on s'y met tous les trois, on aura fini en un rien de temps.

J'avais envie de travailler avec eux. Ils avaient l'air de bien s'amuser. Elle avait sorti la radio, qui diffusait une sorte de pot-pourri de tubes, spécial Labor Day. À cet instant c'était la chanson de *Grease* sur un amour d'été par Olivia Newton-John, que ma mère imitait en brandissant le grattoir comme s'il s'agissait d'un micro.

Je suis occupé, ai-je dit.

Elle a eu l'air blessé.

Je pensais que ce serait amusant qu'on fasse ça tous les trois ensemble. Bon, et si tu nous racontais ce que tu as appris à la bibliothèque ?

J'avais appris que ma mère avait subi un lavage de cerveau. Que, sous l'influence du sexe, l'intérieur de son cerveau devait ressembler à un œuf sur le plat. Que son seul espoir de salut était que je me débarrasse de Frank. Je ne l'ai bien sûr pas dit, mais c'est ce que je pensais.

À cet instant, Frank a posé la main sur mon épaule. Je me suis rappelé l'autre fois où il avait fait ce geste, à notre première rencontre – quand il m'avait dit qu'il avait besoin de mon aide. Je l'avais regardé dans les yeux, et j'avais cru que je pouvais avoir confiance en lui.

Je pense que tu devrais aider ta mère, mon garçon, m'a-t-il dit.

D'un ton calme mais ferme, qu'il n'avait encore jamais employé avec moi. Voilà, ce qu'Eleanor avait prédit était arrivé. Il prenait les commandes. J'étais encore assis sur la banquette arrière. Bientôt, je ne serais même plus dans la voiture.

Vous n'êtes pas mon patron. Vous n'êtes pas mon père.

Il a retiré sa main, comme s'il avait touché du métal brûlant. Ou de la neige carbonique.

Ça va, Frank, a dit ma mère. Nous pouvons nous passer de lui. C'est son dernier week-end avant la rentrée.

Je me suis installé dans le living, j'ai allumé la télé – très fort. Il y avait un match de tennis, ce dont je me fichais. Sur la chaîne suivante, du baseball. Puis un programme publicitaire à l'intention des femmes qui voulaient maigrir des cuisses. Ça m'était égal qu'ils entendent et sachent que je regardais ce programme – je les entendais bien, moi, à travers le mur de ma chambre – et quand j'ai eu fini mon sandwich, j'ai laissé l'assiette et mon verre de lait vide sur la table, au lieu de les mettre dans le lave-vaisselle comme je l'aurais fait normalement.

L'air nonchalant, je suis allé voir Joe qui, toujours allongé sur le sol de sa cage, haletait sous l'effet de la chaleur. Avec un pulvérisateur d'eau, j'ai rincé la cage et j'ai aspergé sa fourrure puis moi par la même occasion.

Étendu sur le canapé, j'ai continué à regarder l'émission pour les femmes tout en feuilletant le livre que j'avais rapporté de la bibliothèque : *Les Mystérieuses Maritimes : pays de rêves*. J'ai ramassé le journal et relu le gros titre. Récompense offerte. Dix mille dollars.

*Débarrasse-toi de lui*, avait dit Eleanor. *Vire-le de ton existence.*

J'ai rêvé d'une moto tout terrain. D'une caméra vidéo. D'un pistolet à billes.

Un catalogue que j'avais lu dans l'avion, en revenant de Disney World avec mon père et Marjorie, proposait d'acheter des tas de trucs stupéfiants dont je ne connaissais même pas l'existence, du genre planche à roulettes, machine individuelle à faire du pop-corn, une horloge qui indiquait l'heure dans toutes les villes du monde, une machine qui transformait votre baignoire en jacuzzi, des torches qui fonctionnaient à la lumière solaire, et une paire de gros cailloux, qui étaient en réalité des haut-parleurs stéréo d'extérieur, en fibre de verre, pour les barbecues entre voisins et les soirées entre amis. Avec dix mille dollars, on pouvait se procurer tous les objets figurant dans le catalogue, à l'exception de quelques-uns, qui de toute façon n'étaient pas intéressants.

Après l'arrestation de Frank, ma mère serait triste, mais elle s'en remettrait et finirait par comprendre que c'était pour son propre bien que j'avais fait ça.

# 14

Tu dois probablement te demander pourquoi tu n'as ni frère ni sœur, avait un jour dit ma mère. C'était pendant l'un de nos repas à base de surgelés, moments privilégiés où elle aimait aborder certains sujets de conversation. Je devais avoir neuf ans, et la question ne m'avait jamais perturbé, mais j'ai fait signe que oui, néanmoins, comprenant qu'elle tenait à en parler.

J'ai toujours prévu d'avoir au moins deux enfants, et si possible plus, commença-t-elle. Te mettre au monde, c'est la première chose que j'ai réellement faite, la danse mise à part, en parfaite connaissance de cause.

Six mois après ta naissance, je n'ai pas eu mes règles.

Des gamins de mon âge auraient pu ne pas comprendre de quoi il retournait, à supposer que leur mère se soit lancée là-dedans, mais j'avais suffisamment vécu avec la mienne pour tout savoir sur la chose. Et sur des tas d'autres.

Du jour où j'ai été formée, j'ai toujours été parfaitement réglée, a-t-elle poursuivi. Par conséquent, j'ai immédiatement compris ce que cela signifiait. Je n'avais pas besoin de la confirmation d'un docteur.

Mais ton père ne voulait pas d'un deuxième bébé si vite. Il disait que nous n'en avions pas les moyens, de toute façon, il détestait que je passe tant de temps à m'occuper de toi, il exigeait toute mon attention. Ton père m'a persuadée d'avorter. Moi j'avais toujours refusé. Je considérais la naissance d'un bébé, même si le moment n'était pas le mieux choisi, comme un cadeau. J'ai dit à ton père que c'était dangereux de commencer à se prendre pour Dieu. D'attendre des circonstances idéales, parce qu'elles ne le seraient jamais.

Ton père m'a conduite dans une clinique. Je suis entrée seule dans la petite pièce. J'ai enfilé une blouse en papier, j'ai grimpé sur la table et mis mes pieds dans les étriers. Attention, Henry, pas les mêmes que ceux des chevaux.

Ils avaient mis une machine en marche, un bruit s'est déclenché, ressemblant à celui d'un générateur, ou d'un gros broyeur d'ordures. Allongée, elle écoutait, la machine continuait à fonctionner. L'infirmière lui a dit quelque chose, mais elle n'a pas pu entendre, le bruit était trop fort. Quand ce fut fini, on l'a emmenée se reposer dans une chambre en compagnie de deux autres femmes qui avaient avorté elles aussi ce matin-là. À sa sortie, elle avait retrouvé mon père. Pendant le trajet du retour, dans la voiture, elle n'avait pas pleuré, mais avait continuellement regardé par la vitre, et quand, finalement, il lui avait demandé comment ça s'était passé, elle n'avait rien pu dire.

Dès la minute qui a suivi l'avortement, je n'ai voulu qu'une chose, reprit ma mère : retomber enceinte et, cette fois-ci, mettre le bébé au monde. Tu vois ce que je veux dire ?

Non, je ne voyais pas, mais j'ai fait signe que oui. Ça n'avait aucun sens de se donner tant de mal pour ne pas avoir de bébé et, l'instant d'après, d'en vouloir de nouveau un. C'était peut-être à ça que mon père faisait allusion quand il me demandait si je ne pensais pas que ma mère était folle.

Pourtant il avait fini par s'incliner. Juste pour qu'elle lui fiche la paix, disait-il. Alors, pendant un temps, ma mère a nagé dans le bonheur. J'avais juste deux ans, donc un âge où il fallait sans cesse s'occuper de moi, mais, contrairement à ces femmes qui n'arrêtent pas de se plaindre de nausées matinales et de douleurs dans les seins, ma mère a adoré tout ce qui caractérise une grossesse.

Vers la fin du troisième mois – quand, selon le bouquin qu'elle lisait jour après jour (*Les Premiers Neuf Mois de la vie*), le fœtus doit avoir la taille d'un gros haricot –, elle s'était réveillée avec une sorte de terrible crampe dans le ventre. Il y avait du sang sur le drap. En milieu d'après-midi, elle avait déjà trempé trois serviettes, et le sang continuait de couler.

Trois serviettes hygiéniques, c'est beaucoup, Henry, me dit-elle. Je ne savais pas ce qu'était une serviette hygiénique, mais j'ai acquiescé.

Son docteur lui avait affirmé qu'une fausse couche n'avait rien d'extraordinaire, et que rien ne permettait de supposer qu'elle aurait des problèmes la prochaine fois. Elle était jeune. Semblait en parfaite santé. Ils pourraient réessayer bientôt.

Quelques mois plus tard, elle était de nouveau enceinte. Elle décida cependant d'attendre un peu avant de porter ses vêtements de grossesse. Elle confia néanmoins la nouvelle à quelques amies (elle avait des amies à l'époque). Et à moi aussi, paraît-il. Je n'en ai aucun souvenir. Je devais avoir à peine trois ans.

Et de nouveau, à la fin du troisième mois, elle s'était mise à saigner. Assise sur la cuvette des toilettes – pour uriner, pensait-elle – elle avait senti quelque chose s'échapper d'elle. Elle avait regardé au fond de la cuvette, vu une sorte de caillot et su qu'elle n'était plus enceinte. Qu'était-elle censée faire ? Tirer la chasse d'eau ?

Au bout d'une minute, elle s'était agenouillée, avait plongé les mains dans l'eau et récolté la chose, qu'elle avait transportée dans le jardin. De ses doigts, elle avait essayé de creuser un trou, mais n'avait pu que racler le sol, qui était très dur par manque de terre arable.

Ç'aurait été ta petite sœur ou ton petit frère.

Enterré(e) dans le jardin de la maison où vivaient mon père et Marjorie, probablement. Je ne pouvais m'empêcher de penser qu'il (ou elle) avait failli disparaître dans les toilettes.

À la grossesse suivante, peu après, elle n'espéra même pas que les choses se passeraient bien, effectivement elles se passèrent mal. La fausse couche s'était produite encore plus tôt – avant le deuxième mois –, elle n'avait d'ailleurs jamais eu de nausées matinales, premier mauvais signe.

Maintenant, je savais que Dieu me punissait. Il nous avait fait un merveilleux cadeau : toi, un autre merveilleux cadeau six mois après ta naissance et, à cause de notre bêtise : croire qu'on peut choisir son moment pour être parent, comme on choisit son jour pour aller danser – nous n'aurions probablement plus jamais cette chance.

Mais la quatrième tentative avait semblé tellement plus prometteuse. J'ai adoré mes nausées, me dit-elle. Ensuite mes seins ont commencé à gonfler, juste passée la sixième semaine, comme il se doit, et j'étais au septième ciel.

Tu ne te rappelles pas que je t'ai emmené avec moi chez le docteur ? Et qu'il t'a montré l'échographie, et qu'il a dit : Regarde, c'est ton petit frère ? Aussi minuscule qu'il était, nous pensions voir un pénis.

Non, ai-je dit, je ne m'en souviens pas. De toute façon, j'avais tant de choses en mémoire que, parfois, le mieux c'était d'oublier.

Quand le docteur, après avoir réalisé la première échographie, avait déclaré que tout semblait normal, ma mère lui avait demandé de vérifier une deuxième fois. Et lorsque, quelques semaines plus tard, elle avait éprouvé d'étranges sensations, elle avait supposé que la même vieille histoire recommençait, mais non, elle se rendit compte que le scénario avait changé. Elle posa la main

sur son ventre et sentit se propager une étrange ondula-
tion, comme celle que produirait un poisson, loin sous la
surface de l'eau. Elle avait alors pris ma main afin que je
le sente aussi. Mon petit frère nageait.

Ensuite, elle avait été heureuse, simplement. Nous
avons traversé une mauvaise période, m'avait-elle expliqué
un jour que, allongés sur mon lit, nous lisions *Georges, le
petit curieux*. Mais c'est fini maintenant. Cette fois-ci sera
la bonne.

Puis les contractions avaient commencé, et ils avaient
mis dans la voiture la valise préparée depuis si longtemps
– à l'époque de sa première fausse couche. Le travail avait
été long, mais le moniteur indiquait un bon rythme cardiaque du fœtus, jusqu'à ces horribles dernières minutes
où ils l'avaient véhiculée à toute allure en salle d'opération
et avaient chassé mon père. Puis ils lui avaient ouvert le
ventre.

Quand elle m'a raconté cette histoire, pendant le dîner,
j'ai demandé où je me trouvais quand ça s'était produit.
Une de mes amies s'occupait de toi, m'a-t-elle dit. Pas
Evelyn. C'était avant Evelyn. En ce temps-là, ma mère
avait des gens normaux pour amis.

Elle ne s'était jamais rappelé grand-chose de ce qui
s'était passé dans cette salle d'opération, sinon qu'elle avait
entendu deux mots : *une fille*. Mais quelque chose clochait
dans la voix qui les prononçait. Elle sonnait triste. Un instant, ma mère avait cru que le problème venait de là : les

médecins étaient déçus de ne pas pouvoir lui annoncer un fils. Mais en découvrant le visage de l'infirmière, elle avait su que ce n'était pas la raison.

*Donnez-moi mon bébé*, avait-elle crié. Personne n'avait répondu. Elle voyait, de l'autre côté du drap isolant le champ opératoire, s'agiter le haut du calot vert du médecin, qui la recousait. Ensuite ils avaient dû lui donner une drogue parce qu'elle avait plongé dans un long sommeil. À un moment, mon père était entré. L'important, c'est que tu ailles bien, avait-il dit. Ce qu'elle avait estimé au contraire être sans importance, et qui l'était demeuré encore très longtemps.

À son réveil, on l'avait transportée dans une autre chambre où se trouvait le bébé – Fern – prénom de sa propre mère, morte depuis tant d'années. Fern était allongée dans un berceau, comme n'importe quel bébé, enveloppée d'une couverture de flanelle rose. Les infirmières lui avaient mis une couche – la seule qu'elle porterait jamais.

L'une d'elles a posé ma petite sœur dans les bras de ma mère. Mon père se tenait à côté d'elle, assis sur une chaise. On allait les laisser seuls pendant quelques minutes – le temps d'ouvrir la couverture et d'inspecter le tout petit corps bleuâtre. Ma mère avait effleuré du doigt une côte après l'autre, puis le bouton de peau fraîchement formé, aboutissement du cordon ombilical qui avait nourri le bébé pendant tous ces mois – pour finir par le trahir d'une torsion fatale qui avait coupé toute alimentation d'oxygène. Elle avait pris les mains de Fern dans les siennes, cherchant à savoir de qui elle les avait héritées. (De mon père, semblait-il. Les mêmes longs doigts qui auraient peut-être suscité l'idée de lui faire étudier le piano.)

Elle avait ensuite déplié les jambes – rien n'indiquait les coups qu'elles lui avaient décochés à la fin de la grossesse, si fort que, parfois, elle pouvait repérer le contour du pied qui, pressant sur le ventre, formait une bosse. (Viens voir, Henry, me criait-elle.) Est-ce que j'avais oublié ces instants? Quand je regardais la personne que nous croyions être mon frère bouger sous la peau de son ventre, comme un chaton sous les couvertures d'un lit?

Puis elle avait détaché la couche. Elle voulait tout voir. La petite fente du vagin, où traînait une tache de sang, phénomène qui, expliquerait plus tard le médecin, n'était pas exceptionnel chez les nouveau-nés de sexe féminin – résultat de la transmission des hormones de la mère à l'enfant – même si, en le découvrant, ils avaient sursauté.

Ma mère avait mémorisé le visage, sachant qu'elle ne cesserait au cours des années à venir de repenser à ces quelques minutes, et qu'elle donnerait n'importe quoi pour tenir de nouveau ce bébé contre elle.

Sur les paupières closes, se détachaient de longs cils étonnamment foncés (paraissant encore plus foncés sur le fond blanc-bleu de la peau). Au lieu du bouton qu'ont nombre de bébés, son nez était une miniature de nez adulte, à l'arrête droite et forte, avec deux narines parfaitement formées, par lesquelles ne passait aucun souffle, la bouche était une fleur. La minuscule fente du menton, elle la devait à notre père, mais la forme de la mâchoire semblait appartenir à la lignée maternelle.

Une veine bleue, sous la peau, descendait de la mâchoire vers le cou flasque. Ma mère en avait suivi le trajet, à la façon dont le guide sur un fleuve trace la voie pour les voyageurs. La veine traversait la poitrine de Fern en direction de l'endroit où, à fleur de la peau presque translucide, le cœur, dont ma mère avait senti en elle les battements, reposait désormais aussi silencieux qu'une pierre.

Toute cette description elle me la faisait, ou plutôt elle me la récitait comme on récite une histoire mille fois racontée, bien que, fort probablement, je fusse la seule personne à l'avoir jamais entendue.

Au bout d'un moment, une infirmière était rentrée dans la chambre et lui avait enlevé Fern des bras. Mon père avait poussé le fauteuil roulant hors de la pièce, dans le couloir ils avaient croisé un couple se dirigeant vers l'ascenseur avec un nouveau-né et un bouquet de ballons d'hélium, et une femme dont la blouse d'hôpital ondulait sur son énorme ventre – le travail venait de commencer. Tout comme ma mère, moins de dix-huit heures auparavant, cette femme arpentait le couloir pour faire passer le temps entre deux contractions. Une idée folle avait alors traversé le cerveau de ma mère : *Donnez-moi une nouvelle chance, je réussirai la prochaine fois.* La vue d'une femme enceinte ne cesserait par la suite de la plonger dans un état de colère et de chagrin tel que respirer lui semblait impossible. Des femmes enceintes, il y en avait partout. Plus qu'il n'y en avait jamais eu.

Tandis qu'ils traversaient le parking en direction de la voiture, mon père s'était penché par-dessus le fauteuil, comme pour protéger ma mère d'un vent force huit. Ça ira mieux quand nous serons rentrés chez nous, Adele.

Mais ça n'avait pas vraiment été le cas, même si, avant de la ramener à la maison – celle qu'il habitait maintenant avec Marjorie et la petite fille qu'ils avaient eue ensemble, et qui vivait –, il avait vidé la nursery, empaquetant les vêtements de bébé et les couches Pampers (certaines achetées trois ans auparavant), et démonté le berceau.

Après chacune des deux premières fausses couches, ils avaient décidé de réessayer. Même après la troisième – bien que saisis d'un effroi permanent – ils avaient continué d'aller consulter le médecin, coché sur le calendrier les dates des règles et noté les périodes de fertilité.

L'enterrement de Fern marqua la fin de toute discussion concernant la conception, la grossesse ou les bébés.

Les voisins compatissants s'étaient efforcés de les faire participer à la vie sociale du quartier, mais ma mère savait désormais qu'elle ne devait plus assister à aucun barbecue ou fête scolaire. On y croisait toujours une femme enceinte. Le supermarché aussi était dangereux. Avec son rayon de vêtements de grossesse, d'aliments pour bébé et ses tas de bébés dans les chariots, de l'âge qu'aurait eu Fern, de jeunots, de l'âge qu'aurait eu celui qui l'avait précédée, et de bambins de quatre ans, l'âge qu'aurait eu celui qu'ils avaient enfoui dans le jardin. Où que se portât votre regard, ce n'étaient que femmes enceintes et bébés, une véritable épidémie.

Alors ma mère comprit : plus aucun endroit n'était sûr. Il suffisait d'ouvrir une fenêtre, et vous entendiez un bébé pleurer. Une nuit, couchée dans son lit, elle avait été réveillée par les faibles cris d'un bébé du voisinage. Ça n'avait duré que quelques instants. La mère avait dû le prendre dans ses bras. Ou le père. Mais elle n'avait pu se rendormir. Le reste de la nuit, allongée dans le noir, elle avait revécu toute son histoire. L'avortement. Les fausses couches. L'échographie. La boîte de cendres qu'ils lui avaient donnée, pas plus grosse qu'un paquet de cigarettes.

Le matin, au réveil, elle sut que c'en était fini pour elle du monde extérieur. Faire l'amour avec son mari ne l'intéressait plus, ni donner naissance à des bébés morts. Elle n'avait même plus envie de danser. Le seul endroit où elle se sentait en sécurité était sa maison.

# 15

L'après-midi était bien entamé quand ils rentrèrent, ayant achevé leurs travaux de peinture. Ma mère fit couler un bain. Toujours aussi furieux, je l'appelai, voulant savoir si l'on allait ou non déjeuner. Ce fut Frank qui répondit.

Et si je nous préparais une petite bouffe ? Pour permettre à ta mère de se reposer. Elle a travaillé dur.

*Ouais,* me suis-je dit. *Je vous ai entendus tous les deux cette nuit. Qui l'a fait travailler le plus dur ?*

J'entendais l'eau couler à l'étage. Frank se tenait devant moi, torse nu. Il s'était débarrassé de sa chemise, tachée de peinture. Le pantalon, lâche, lui descendait sur les hanches, si bien qu'on voyait le haut du pansement qui couvrait la cicatrice, autrement, il pouvait passer pour une statue. Malgré son âge, il possédait toujours ce genre de poitrine où les muscles se bandent sur les os. De nouveau j'ai pensé, comme la première fois que je l'avais vu, qu'il était de ces personnes qu'on imagine en squelettes, ou étalées sur une table de dissection. Que des muscles et des os, sans un poil de graisse. Non pas un champion de culturisme, ou un super-héros, rien de tout ça. Juste l'illustration dans un livre de biologie de l'espèce appelée *Homme.*

J'ai pensé qu'on pourrait faire quelques lancers de balles, dit-il. Vu que je suis déjà en sueur et que ma cheville me permet maintenant de rester debout plus longtemps. Je veux voir comment fonctionne ton bras.

Là, ça se compliquait. Je voulais qu'il sache que j'étais furieux, que je me sentais largué, que je savais ce qu'il fabriquait avec ma mère. Pourtant je l'aimais toujours bien. En même temps je m'ennuyais. À la télé, Jerry Lewis, planté derrière un micro, imitait un petit garçon parlant à la gamine qui se tenait à côté de lui sur la scène, les jambes appareillées et marchant avec un déambulateur.

Qu'en pensez-vous, mes amis ? disait Jerry Lewis, de cette fausse voix de gamin. Est-ce qu'Angela ne mérite pas d'avoir les mêmes chances que nous tous ? Sortez vos carnets de chèques.

Ça m'avait bien plu de jouer avec Frank. Je n'espérais pas qu'il allait me transformer, pschitt, en une sorte d'athlète, mais j'avais aimé lancer et recevoir la balle, et le bruit sec qu'elle faisait en atterrissant dans mon gant. Le rythme que nous avions pris, lui-moi, moi-lui.

Je ne m'en étais encore jamais rendu compte, avait dit ma mère en nous rejoignant, c'est fou ce que ça ressemble à de la danse. Tu dois t'accorder à l'autre joueur, te concentrer sur ses mouvements, puis adapter les tiens à son rythme. Comme sur la piste, quand le monde n'existe pas en dehors de toi et de ton partenaire, et que vous communiquez parfaitement sans dire un mot.

Difficile de croire, quand il me lançait la balle, qu'il s'imaginait en train de faire l'amour avec elle, ou de l'embrasser sur le cou, à l'endroit de la marque, ou qu'il pensait à tous les autres trucs qu'ils faisaient au lit la nuit. En jouant, il pensait à jouer. Point.

Sauf si. Sauf s'il m'hypnotisait, moi aussi. Peut-être qu'il essayait de me préparer pour le jour, très proche, où je vivrais chez mon père, et où Richard et lui passeraient leur temps à se renvoyer la balle, sauf que, contrairement à moi, Richard savait faire des lancers courbes. Il me préparait pour l'avenir, quand lui et ma mère seraient partis.

Je préfère pas. Je regarde une émission à la télé. (C'était le Téléthon.)

Frank ne me lâchait pas des yeux. Jerry Lewis n'existait pas. Il n'y avait que lui et moi dans cette pièce.

Écoute, dit-il. Si tu as peur que je te vole ta mère, tu as complètement faux. Tu seras toujours le numéro un sur sa liste, et je n'essaierai jamais de changer ça. Elle t'aimera toujours plus que tout au monde. Ce que je voudrais simplement, c'est m'occuper d'elle. Je n'ai pas l'intention de remplacer ton père. Mais je pourrais être ton ami.

Voilà, ça y était. Juste comme Eleanor me l'avait prédit. Maintenant, il allait essayer de m'hypnotiser moi aussi. Je me rendais compte que ça marchait, puisqu'une partie de moi-même voulait le croire. Il fallait que je noie les mots, pour les empêcher de pénétrer dans mon cerveau.

La gamine était assise sur les genoux de Jerry Lewis,

elle parlait de son chien. Un numéro de téléphone s'affichait à l'écran. J'entendais les voix des gens autour de la piscine des Jervis. *Bla-bla-bla*, me répétais-je. *Bli-blo-bla.*

Je sais que j'ai beaucoup foiré jusqu'à maintenant, disait Frank. J'ai commis de terribles erreurs. Mais si une deuxième chance s'offre à moi, je ferai tout ce qui sera en mon pouvoir pour la mériter.

*Tantra, mantra, kulula.*

*Ravioli. Stromboli. Pissenlit.*

Je sais que ça prendra du temps, disait-il encore. Mais regarde-moi. Le temps, c'est la seule chose que j'ai possédée durant les dix-huit dernières années. C'est pas si mal : ça te donne l'occasion de réfléchir.

Il tenait toujours à la main le grattoir à peinture. Le vieux pantalon qu'il portait et que ma mère avait retrouvé au sous-sol provenait d'un costume de clown qu'elle m'avait fabriqué pour Halloween. Le pantalon avait dû appartenir à un très gros homme, parce que je nageais dedans, mais sur Frank, il arrivait au milieu des mollets, et tenait par une ficelle. Ainsi attifé, et pieds nus, Frank était le véritable clown, de la catégorie des clowns tristes. C'était ce type que j'entendais embrasser ma mère toutes les nuits. Ça me faisait de la peine pour elle. Pour lui. Et surtout pour moi. J'avais toujours voulu vivre dans une vraie famille, et voilà ce que je récoltais : une famille de ratés.

Puis il posa la main sur mon épaule. Une grande main, usée. J'avais entendu ma mère lui dire, une nuit : Je vais te passer une lotion sur le corps.

Et lui : Ta peau est si douce. J'ai honte de la toucher.

Puis il me parla, mais d'une voix différente. On n'a d'ailleurs pas besoin de jouer. Je peux juste nous préparer quelque chose à manger. Toi, reste assis sur les marches, derrière. Il doit faire plus frais.

Mon père va venir me chercher.

*Et je sais ce que ma mère et toi vous ferez dès que j'aurai tourné le dos.*

Là-haut, ma mère appelait, de la salle de bains : Frank, veux-tu m'apporter une serviette ?

Alors il s'est levé. Il s'est retourné pour me regarder, avec sur son visage l'expression qu'il devait avoir eue quand Mandy avait répondu à sa question sur la véritable identité du père du bébé, sauf que maintenant il n'allait pousser ni frapper personne si durement que la tête se fendrait. Il m'avait dit qu'il était devenu patient. Suffisamment patient pour attendre que l'occasion se présente, tenir jusqu'à cet instant où il s'était retrouvé dans un lit d'hôpital, près d'une fenêtre sans barreaux du deuxième étage. Un plan mûri pendant des années, qu'il avait finalement mis à exécution.

À présent, il prenait une serviette de bain dans la pile de linge sur le dessus de la machine, la portait à son nez, la sentait, comme pour s'assurer qu'elle convenait à la peau de ma mère. À présent, il montait l'escalier. Maintenant j'entendais la porte s'ouvrir. Maintenant il devait se tenir à côté de la baignoire où elle se prélassait. Nue.

À la bibliothèque, Eleanor m'avait noté son numéro de téléphone, chez son père. J'y serai tout le week-end, m'avait-elle dit. Sauf si l'envie prend à mon père de m'emmener quelque part, genre cinéma. Tel que je le connais, il doit encore croire que les *Care Bears*, c'est tout ce que j'aime.

J'ai composé le numéro. Si c'était son père qui répondait, je raccrocherais.

Mais ce fut elle. J'espérais que tu appellerais, dit-elle. Quel genre de fille pouvait dire ça ?

Tu veux qu'on parle ? ai-je demandé.

# 16

Cet après-midi-là, la température atteignit les trente-cinq degrés. L'air pesait des tonnes. D'un bout à l'autre de la rue, les gens arrosaient leurs pelouses. Pas nous. Notre herbe était déjà morte.

Le journal du jour publiait un article sur le bombyx et l'interview d'une femme qui lançait une campagne pour le port de l'uniforme dans les écoles publiques, au prétexte que ça diminuerait l'influence du groupe et empêcherait les adolescents de s'habiller d'une façon inconvenante. Les jeunes garçons doivent penser à leurs devoirs de maths, pas aux jambes des filles révélées par les minijupes.

Vous pouvez bien mettre des uniformes aux filles, avais-je envie de lui dire. Ce n'est pas à leurs vêtements que nous pensons, mais à ce qu'il y a dessous. Rachel McCann pouvait porter des Pataugas et un kilt jusqu'aux chevilles, ça ne m'empêcherait pas d'imaginer ses seins.

Eleanor était si maigre que j'avais du mal à me figurer son corps. Et je n'avais pas non plus réussi à visualiser ses seins, à la bibliothèque, parce qu'elle portait un gros sweat-shirt. (Un sweat-shirt, en pleine vague de chaleur.)

N'empêche, je me demandais à quoi elle ressemblerait sans ses lunettes. Sans l'élastique qui tenait sa natte, et ses cheveux lui tombant sur les épaules. Il était probable que, si nous nous pressions l'un contre l'autre, je ne sentirais pas une grande différence entre sa poitrine nue et la mienne. Je nous imaginai, tétons contre tétons, créant une sorte de connexion électrique. Nous étions à peu près de la même taille. Chaque partie du corps de l'un correspondrait à celle du corps de l'autre, sauf une !

Il existe une théorie, m'avait-elle dit, selon laquelle les troubles du comportement alimentaire chez les filles expriment leur refus de la sexualité. Certains psychologues croient qu'elles essaient de se raccrocher à leur enfance, parce qu'elles ont peur de ce que sera l'étape suivante. Tu n'as pas tes règles si tu es très maigre, par exemple. Je sais que la plupart des gens ne raconteraient pas ça à un garçon, mais je crois que deux personnes qui se parlent doivent toujours être honnêtes l'une envers l'autre. Par exemple, ma mère, si ce qu'elle voulait c'était rester seule avec son copain, elle n'avait qu'à me le dire. Je serais allée passer la nuit chez mon amie, ou un truc comme ça, au lieu de devoir traverser la moitié du pays pour les laisser faire l'amour.

Au téléphone, quand je l'ai appelée cet après-midi-là, elle m'a demandé quel genre de musique j'aimais. Elle, c'était Sid Vicious, le chanteur, et les Beastie Boys. Le plus génial de tous les temps, c'était Jim Morrison. Un jour, elle irait à Paris pour voir sa tombe.

J'étais sûrement censé savoir qui était Jim Morrison, alors je n'ai pas bronché. À la maison, on n'avait que le lecteur de cassettes de ma mère couplé avec une radio FM. Et je connaissais essentiellement la musique qu'elle écoutait : les romances de Frank Sinatra, la bande originale de *Guys and Dolls*, l'album de Joni Mitchell intitulé *Blue*, plus un autre type dont j'ignorais le nom, avec une voix très basse et engourdie. Et une chanson que ma mère passait et repassait, qui contenait cette phrase : *Tu sais qu'elle est à moitié folle, mais c'est pour ça que tu veux être avec elle.*

*Ton esprit a touché son corps parfait*, chantait-il. Enfin, chanter c'est beaucoup dire. Plutôt psalmodier. Je supposais qu'Eleanor devait l'aimer. Seulement, voilà, je n'arrivais plus à me rappeler son nom.

Tu sais, le truc habituel, lui ai-je dit quand elle m'a demandé ce que c'était comme musique.

Je déteste ce qui est habituel. Tout ce qui est habituel.


Elle m'avait demandé si j'avais un vélo. Oui, j'en avais un, mais convenant à un garçon de huit ans, avec un pneu à plat et pas de pompe. Elle n'avait pas de vélo, mais pouvait emprunter celui de son père. Il était sorti, pour jouer au golf. Ce type, qui prétendait ne pas avoir les moyens d'envoyer sa fille dans la meilleure école du monde, dépensait cinquante dollars chaque week-end pour frapper une balle et essayer de la faire entrer dans un trou.

Je pourrais venir chez toi, dit-elle.

Je lui ai répondu que c'était pas génial comme idée. Ma mère et le type, *Fred*, ne tenaient pas à se faire remarquer. On pourrait se retrouver en ville. Pour boire un café. Je ne lui ai pas dit que je ne buvais pas de café. J'ai approuvé : super. En ce temps-là, les endroits du genre Starbuck's n'existaient pas, mais il y avait un petit restau appelé Noni, avec des boxes individuels dotés de boîtes contenant les fiches de tous les titres de chansons disponibles dans le juke-box. En majorité de la musique country, mais peut-être trouverait-elle quelque chose qui lui plairait. Un air très triste, par un chanteur déprimé.

Il fallait vingt minutes à pied pour aller au centre-ville. Quand je suis parti, ma mère et Frank n'avaient pas quitté la salle de bains. Il devait être en train de la sécher, ou de lui passer de la lotion sur le corps. Je veux juste prendre soin de ta mère, avait-il dit. Il appelait cela comme ça.

J'ai laissé un mot disant que je serais de retour à temps pour partir avec mon père. Je vais retrouver un ami. Ça ferait plaisir à ma mère.

Eleanor occupait déjà un box quand je suis arrivé. Elle s'était changée, et ses cheveux lui tombaient sur les épaules comme dans mon imagination, sauf qu'au lieu de former des boucles, ils étaient raides et fourchus. Elle s'était maquillée – rouge à lèvres violacé et trait de crayon autour des yeux qui les faisait paraître plus grands qu'en réalité. Du vernis noir sur les ongles, mais comme elle se les rongeait, le résultat était bizarre.

J'ai informé mon père, dit-elle, que je sortais avec un garçon. Aussitôt il m'a fait le blablabla habituel sur les précautions à prendre, qu'est-ce qu'il s'imagine, que je vais sauter dans ton lit?

C'est drôle, continua-t-elle, cette manie qu'ont les parents de toujours nous bassiner avec le sexe, comme si c'était la seule chose qui compte dans notre vie. Alors qu'ils projettent probablement leurs propres obsessions.

Elle mit une sucrette dans son café. Puis deux autres. Mon père n'a pas de copine, mais il aimerait bien en avoir une. Il serait probablement séduisant s'il maigrissait. Dommage que ta mère et lui se soient pas connus avant que ce Fred débarque. Tu aurais pu être mon demi-frère. Évidemment, dans ce cas, si on se mariait, ça serait une sorte d'inceste.

Ma mère, en général, ne sort pas avec des hommes. Avec ce type, ça c'est fait par hasard.

Nous sommes restés une minute sans rien dire. Elle a versé cinq ou six autres sucrettes dans son café. J'essayais de trouver un sujet de conversation.

Tu as vu cette histoire du prisonnier échappé? dit-elle. Mon père en parlait avec le voisin d'à côté qui est gendarme. Je suppose que, si la police croit que le type est toujours dans les parages, c'est parce qu'il y a tous ces embouteillages sur les routes à cause du week-end et qu'ils pensent qu'ils l'auraient repéré s'il avait essayé de quitter la ville. Bien sûr, il pourrait s'être caché dans le coffre d'une voiture, ou un truc comme ça, mais ils pensent qu'il s'est planqué quelque part jusqu'à ce qu'il se remette de ses blessures. Ils sont à peu près sûrs qu'il s'est au moins cassé une jambe en sautant par la fenêtre.

Même s'il traîne par là, ai-je dit, c'est peut-être pas un si mauvais type. Si ça se trouve, il a juste quelques affaires à régler.

J'avais beau être fou de rage contre Frank qui voulait me voler ma mère, ça me mettait mal à l'aise d'entendre parler de lui comme d'un être abominable. D'ailleurs, même si je commençais à souhaiter le voir disparaître, je ne pouvais pas vraiment le blâmer de désirer vivre avec ma mère. Ce qu'il faisait avec elle, c'était exactement ce que je rêvais de faire moi-même avec une fille.

Je ne sais pas pourquoi les gens sont si remontés contre lui, ai-je ajouté. Il n'est probablement pas dangereux.

Ça se voit que tu n'as pas lu le journal. Il y a une interview de la sœur de la femme qu'il a tuée. Et pas seulement elle : il a tué aussi son propre bébé.

Parfois les histoires sont plus compliquées que ce qu'on lit dans les journaux, ai-je dit. J'aurais voulu lui raconter Mandy, comment elle s'était moquée de Frank, comment elle l'avait piégé pour qu'il l'épouse et croie que Francis Junior était son fils, et qu'il avait aimé le bébé comme s'il avait été vraiment le sien. Seulement voilà, ces choses-là je ne pouvais pas les dire, alors je me contentais de feuilleter les fiches du juke-box, cherchant un air qui collerait avec l'humeur ambiante.

Une caissière à Pricemart l'avait remarqué, a repris Eleanor. Alors elle a appelé le numéro vert quand elle a vu sa photo. Il était avec une femme et un gosse. Probablement des otages. La caissière espérait toucher la prime, mais ça suffit pas d'avoir vu le type. C'est la première chose intéressante qui se passe dans cette ville depuis que ma mère m'y a exilée.

Je sais où il est. Il est chez moi.

J'ai payé les cafés – le sien et le mien – et nous sommes allés au vidéostore d'à côté. Il y avait un film que je devais absolument voir, disait-elle, ça s'appelle *Bonnie and Clyde*, et ça raconte l'histoire d'un criminel qui kidnappe une belle femme et l'oblige à dévaliser les banques avec lui. Contrairement à Patty Hearst, Bonnie n'est pas riche, mais c'est une femme nerveuse et qui s'ennuie, sûrement le portrait de ma mère quand Frank avait fait irruption dans le tableau, et l'une comme l'autre n'avaient probablement pas fait l'amour depuis longtemps. Et Clyde a le même charisme que l'homme de l'histoire Patty Hearst.

Warren Beatty, dit-elle. Maintenant, il est plutôt vieux, mais quand ils ont tourné le film, c'était le plus bel homme qui ait jamais existé. D'après ma mère, même dans la vie réelle, il avait ce genre de charisme qui fait fondre les gens. Des tas d'actrices de Hollywood couchaient avec lui, tout en sachant qu'elles n'étaient pas les seules. C'était plus fort qu'elles.

Dans le film, Bonnic ct Clyde tombent amoureux l'un de l'autre. Ils sillonnent le pays en voiture, en dévalisant des banques et des magasins, et vivent dans leur voiture. Le plus étonnant de l'histoire, c'est que Clyde ne peut même pas faire l'amour avec Bonnie. Il a une sorte de phobie pour la chose, mais même comme ça, elle perd la boule, tellement il a de sex-appeal. À la fin, ils sont tués. Le type qu'ils croyaient être leur ami, et qui est membre du gang, les trahit pour ne pas aller en prison.

Et puis il y a la scène, à la fin du film, où les fédéraux qui les ont filés leur tendent une embuscade. Quand Bonnie est tuée, il y a tellement de sang que ma mère ne pouvait même pas regarder la vidéo, mais moi si. Ils l'abattent pas d'un seul coup de feu. Ils ont des mitrailleuses, et dans la voiture le corps de Bonnie se met à sauter dans tous les sens, tordu de spasmes, et les balles continuent de le trouer partout, et on voit le sang couler à travers la robe.

C'est Faye Duneway qui joue Bonnie. Elle est fantastique. Dans le film, elle est habillée super. Pas tellement la robe qu'elle porte quand ils la tuent, mais d'autres vêtements.

Je ne crois pas que ce serait une bonne idée que je loue la cassette de ce film, ai-je dit. Si ma mère et Frank me voyaient le regarder, ils pourraient s'imaginer des choses.

En réalité, je n'avais pas envie de voir le film. Je savais que, en ce qui concerne la mort de Bonnie, par exemple, j'aurais la même réaction que la mère d'Eleanor. D'autant que la scène risquait de me rappeler la situation courante.

Tu imagines que ta mère soit tuée dans une embuscade ? demanda Eleanor. Et que tu sois là ? Ils te tireraient probablement pas dessus parce que tu es un gosse, mais tu assisterais à tout. Ça pourrait être extrêmement traumatisant.

Nous étions toujours à l'extérieur du vidéoclub. Une femme passa devant nous, poussant une voiture d'enfant. Un homme glissa une cassette dans la fente de la porte. La chaleur semblait monter du trottoir. *De quoi faire cuire un œuf*, avait dit quelqu'un un jour. *Les jaunes semblables aux tétons des girls de Las Vegas. Le cerveau en capilotade.* Quelques minutes sans climatisation, et déjà ma chemise me collait à la peau.

Eleanor avait mis ses lunettes de soleil – très grandes, rondes, elles lui couvraient la moitié du visage, si foncées que je ne pouvais pas voir ses yeux, pourtant je savais qu'elle me fixait. Puis elle étendit le bras et me toucha la joue. Son poignet n'était pas plus épais qu'un manche de balai. Avec un stylo à bille, probablement, elle avait tracé sur la peau une ligne de pointillés et écrit : *Couper ici.*

J'ai une envie bizarre, dit-elle. Ça me poursuit, et tu penseras peut-être que je suis fêlée, mais ça m'est égal.

Non, je ne te trouve pas fêlée.

En règle générale, j'essayais de ne pas mentir, là j'ai fait une exception.

Elle ôta ses lunettes, les rangea dans son sac, jeta un regard rapide autour d'elle, se lécha les lèvres. Puis elle se pencha et m'embrassa.

Je parie que ça t'est encore jamais arrivé, dit-elle. Maintenant tu te souviendras toujours de moi. La première fille que tu aies embrassée.

Il était presque cinq heures de l'après-midi quand je suis rentré chez moi. Assis sur le porche, derrière la maison, ma mère et Frank buvaient un citron pressé. Elle tenait à la main un flacon de vernis à ongles, ses jambes reposaient sur les genoux de Frank, qui lui peignait les orteils.

Ton père a appelé, me dit-elle. Il passera te prendre dans une demi-heure. Je commençais à craindre que tu ne sois pas rentré à temps.

J'ai répondu que j'allais me préparer, et je suis monté prendre une douche. Le rasoir de Frank se trouvait sur la tablette, et aussi la crème à raser. Quelques cheveux noirs dans le bac, à l'endroit où l'eau s'était écoulée. Voilà ce que c'était que d'avoir un homme à la maison.

Je me demandais s'ils s'étaient douchés ensemble en mon absence. Les gens faisaient ça dans les films. Je l'imaginais arrivant derrière elle, lui entourant le cou de son bras, l'embrassant là où j'avais vu la marque, sa langue dans sa bouche, comme celle d'Eleanor dans la mienne.

L'eau coulant sur le visage de ma mère, dévalant sur ses seins. Elle posait la main sur lui, à l'endroit que je touchais maintenant sur mon propre corps.

Je pensais à Eleanor, à Rachel, et à Ms Evenrud, mon professeur de sciences sociales de l'année passée, qui ne boutonnait jamais le haut de son chemisier. Je pensais à Kate Jackson dans *Charlie's Angels* et à la fois où, à la piscine municipale, une fille, qui faisait du baby-sitting, était sortie de l'eau avec le petit sans s'apercevoir que le haut de son maillot de bain avait glissé et qu'on lui voyait la moitié des seins.

Les bruits de Frank et de ma mère, la nuit. Imaginant que c'était mon lit qui cognait contre la cloison, et pas le leur. Avec Eleanor couchée dedans, mais une version d'elle moins maigre que l'original. Cette Eleanor-là avait de la poitrine, pas trop, juste deux petits mamelons. Et en les touchant, j'entendais cette chanson dont ma mère mettait toujours le disque.

*Suzanne te conduit au bord d'une rivière.*

Il existe une façon d'écouter de la musique qui fait que n'importe quelle parole se rapporte au sexe. Vous pouvez regarder le monde d'une façon telle que le plus minuscule événement a un double sens.

J'entendais Frank, dehors, laver les pinceaux. À l'arrivée de mon père, il se cacherait. Pas longtemps, car mon père ne s'attardait jamais. J'essayais d'être devant la porte avant même qu'il atteigne la première marche pour les empêcher – ma mère et lui – de se dire un mot. Ou, pire que tout, de ne rien se dire, ce qui était généralement le cas.

Normalement, j'aurais juste enroulé une serviette autour de ma taille et aurais traversé ainsi le couloir pour rejoindre ma chambre. Mais avec Frank dans les parages, j'avais honte de ma maigre poitrine et de mes épaules étroites. Il pouvait me soulever et m'écraser comme une mouche, s'il en avait envie.

Moi aussi je pouvais l'écraser. D'une façon différente.

Quand vas-tu l'appeler ? m'avait demandé Eleanor. La police.

Plus tard. Il faut que j'y réfléchisse.

Je n'y tenais pas vraiment, mais je n'arrivais pas à me sortir de la tête l'image de ma mère, assise à la table de la cuisine, tandis que Frank préparait le petit-déjeuner. Pas de quoi en faire un plat. Il lui avait juste beurré une brioche, mais soigneusement. En nous montrant comment la séparer en deux sans la couper, pour que le beurre l'imbibe mieux. Quand elle avait mordu dedans, une tache de confiture était restée collée à sa joue. Il avait trempé sa serviette de table dans son verre d'eau et avait tamponné la tache. Et dans ses yeux à elle, quand il l'avait touchée, il y avait eu cette expression que je ne lui connaissais pas. Celle d'une personne qui aurait marché longtemps dans le désert et qui, finalement, aperçoit l'eau.

Petit-déjeuner, avait-il dit. Que peut-on désirer de mieux ?

Se rappeler cet instant, avait-elle dit.

# 17

Mon père et Marjorie avaient acheté un minivan, dont la portière coulissait au lieu de s'ouvrir brutalement comme celle de notre vieux break. Ce type de véhicule venait d'arriver sur le marché, ce qui signifiait que mon père et Marjorie, inscrits sur une liste d'attente, avaient dû patienter plusieurs mois avant de l'obtenir. Quand leur tour arriva, le modèle disponible chez le concessionnaire Dodge était marron, couleur que détestait Marjorie. Elle voulait du blanc, parce qu'elle avait lu dans un article de journal que les voitures blanches étaient celles qui couraient le moins de risques d'accidents.

Richard et Chloe sont ma plus précieuse cargaison, avait-elle dit. Avant d'ajouter, après un long silence : Avec Henry, évidemment.

Pour finir, ils avaient pris le marron. Votre père est un conducteur hors pair, avait-elle souligné, comme si nous avions peur de nous faire tuer sur l'autoroute. Moi, ce dont j'avais peur, c'était de ne pas monter en voiture. Ma crainte, c'était de rester tout le temps à la maison. Même si aller chez Friendly avec mon père et Marjorie ne correspondait pas à l'idée que je me faisais d'une grande sortie.

Ils s'amenaient toujours à cinq heures et demie pile. Je les attendais dehors, sur l'escalier. Et cette fois-ci, en particulier, je ne tenais pas à ce que mon père vienne jusqu'à la porte et regarde à l'intérieur.

Richard, assis à l'arrière à côté de Chloe dans son siège spécial voiture, écoutait un CD, casque sur la tête. Il ne leva pas les yeux quand je montai, mais Chloe si. À l'époque, elle commençait juste à parler. Elle tenait un morceau de banane à la main, qu'elle mangeait en partie, et surtout dont elle se barbouillait la figure.

Embrassez votre frère, les minets, dit Marjorie.

C'est bon, ai-je dit. C'est l'intention qui compte.

Qu'est-ce que tu penses de cette chaleur, fils? demanda mon père. Heureusement qu'on a pris l'option clim. Un week-end comme celui-là, je n'ai qu'une envie, c'est de rester dans la voiture.

Pas bête, ai-je dit.

Comment va ta mère, Henry? a demandé Marjorie. De cette voix qu'elle prenait toujours, quand il s'agissait de ma mère, et qui faisait penser qu'elle s'enquérait d'une personne atteinte d'un cancer.

Géniale.

S'il y avait une personne au monde avec qui je n'avais pas envie de parler de ma mère, c'était bien Marjorie.

Maintenant que l'école va reprendre, ce serait le bon moment pour ta maman de trouver un job, a continué Marjorie. Avec les jeunes qui vont entrer en fac, et tout le reste. Comme serveuse quelques soirées par semaine, ou un truc de ce genre. Juste histoire de sortir un peu de chez elle. Et de rapporter un peu d'argent.

Elle a déjà un job.

Je sais. Les vitamines. Je pensais à quelque chose de peut-être plus sérieux.

Mon père a pris le relais. Alors, fils, on entre en quatrième ? Qu'est-ce que tu dis de ça ?

Il n'y avait pas grand-chose à en dire. Je me suis tu.

Richard envisage de se mettre au hockey cette saison, pas vrai, Rich ?

À côté de moi, Richard dodelinait de la tête au rythme d'une musique qu'il était seul à entendre. Rien n'indiquait qu'il savait que mon père lui avait posé une question.

Lequel se tourna de nouveau vers moi. Et toi, mon vieux ? Le hockey, ce serait peut-être pas mal. Ou alors le foot, mais pas l'américain. Pour ça, il faudra attendre que tu te remplumes, hein ?

Faut pas y compter dans les cent ans à venir, dis-je. Ni foot, ni hockey.

J'ai pensé à m'inscrire au cours de danse moderne, ai-je ajouté. Rien que pour voir sa réaction.

Je ne suis pas sûr que ça vaudrait le coup. Je sais ce que la danse représente pour ta mère, mais les gens risqueraient de se faire de fausses idées à ton sujet.

De fausses idées ?

Ce que veut dire ton père, intervint Marjorie, c'est qu'ils pourraient te croire homo.

Ou croire que je veux surtout traîner autour d'un max de filles en body. Comme je disais ça, Richard a relevé la tête, ce qui m'a fait penser qu'il avait tout entendu.

Simplement, il préférait ne pas s'en mêler, ce qui était compréhensible.

Nous venions d'arriver devant chez Friendly. Richard bondit sur le trottoir.

Peux-tu prendre ta sœur ? me demanda Marjorie.

J'avais compris depuis un certain temps que ça faisait partie de sa stratégie pour favoriser les relations entre Chloe et moi.

Je pense que tu devrais la prendre toi-même. Je crois qu'il y a quelque chose dans sa couche.

Je commandais toujours la même chose : hamburger-frites. Richard a pris un cheeseburger, mon père un steak. Marjorie, qui surveillait son poids, a commandé le Spécial Bonne Santé – poisson, salade.

Alors, mes chatons, est-ce que vous avez hâte de retourner à l'école ? demanda-t-elle.

Pas particulièrement.

Mais passé le premier jour, vous serez pris dans l'engrenage, vous reverrez tous vos copains.

Mouais.

En un rien de temps, vous vous retrouverez avec des petites amies. Des tombeurs de dames comme vous. Les deux plus mignons de la classe. Si j'étais encore en quatrième, je n'hésiterais pas.

Berk, Mam, dit Richard. De toute façon, si tu étais encore en quatrième, je ne serais pas né. Ou alors, si tu me trouvais si mignon, ce serait un inceste.

Où apprennent-ils ces mots ? s'étonna Marjorie.

Elle prenait une tout autre voix pour parler à mon père que pour s'adresser à nous, différente aussi de celle dont elle usait quand elle abordait le sujet de ma mère.

Marjorie a mis dans le mille, dit mon père. Tous les deux vous arrivez à cette étape de la vie. Le monde fou et merveilleux de la puberté, dit-on. Le moment est probablement venu que nous ayons tous les trois une conversation d'homme à homme sur le sujet.

Je l'ai déjà eue avec mon vrai père, dit Richard.

Donc, je suppose que ça nous laisse seuls toi et moi, fils.

T'en fais pas, je suis au courant.

Je suis sûr que ta mère t'a indiqué les fondamentaux, mais il y a certaines choses qui ne peuvent être fournies que par un homme. Sans homme à la maison, ça peut-être difficile.

J'en ai un, ai-je hurlé, mais dans ma tête. Et ça peut être difficile aussi avec un homme à la maison, qui balance toutes les nuits la tête du lit de ta mère contre le mur. Qui partage la douche avec elle. Ce qui était probablement en train de se passer en ce moment même.

La serveuse est venue apporter la liste des desserts et enlever nos assiettes.

Est-ce que c'est pas formidable, a dit Marjorie, que nous soyons tous ainsi autour de la table ? Et que vous, les garçons, arriviez à passer du temps ensemble ?

Richard avait remis ses écouteurs. Chloe agrippait mon oreille et tirait dessus.

Bon, qui a encore faim pour un sundae ? demanda mon père.

Il n'y avait que lui et le bébé, qui d'ailleurs en étala la majeure partie sur sa figure. Je pensais déjà que j'allais devoir l'embrasser pour lui dire au revoir, quand ils m'auraient raccompagné à la maison. J'essaierais de trouver un endroit sans chocolat, peut-être l'arrière de la tête, ou le coude. Et de me tirer ensuite, le plus vite possible.

Quand je suis rentré, Frank lavait la vaisselle, ma mère était assise à table, les pieds sur une chaise.

Ta mère est une sacrée danseuse, me dit-il. Je n'arrivais pas à la suivre. Il n'y a qu'elle pour se lancer dans un jitterbug par une chaleur pareille.

Ses chaussures – ses chaussures de danse – gisaient par terre, sous la table, et elle avait les cheveux mouillés. Elle buvait un verre de vin, qu'elle posa en me voyant.

Approche, il faut que je te parle.

Je me demandai si elle avait lu dans mes pensées. Nous avions vécu si longtemps seuls, rien qu'elle et moi – peut-être pouvait-elle saisir ce que je mijotais ? Peut-être savait-elle ce dont nous avions parlé Eleanor et moi : appeler le numéro vert ? Je nierais tout, mais ma mère ne serait pas dupe.

Pendant une seconde, j'ai imaginé ce qui se passerait ensuite. Frank me ligotant, pas avec une écharpe, avec une corde ou du ruban adhésif, ou une combinaison des deux. J'avais du mal à admettre que ma mère pourrait le laisser faire une chose pareille, sauf si je me rappelais l'avertissement d'Eleanor : quand le sexe s'en mêle, tout change. Regarde Patty Hearst, qui dévalise une banque, avec des parents hyper-riches. Et l'autre, la femme hippie qui était devenue folle de Charles Manson et qui, la minute d'après, égorgeait les cochons et assassinait les gens. C'est le sexe qui les avait fait dérailler.

Frank m'a demandé de l'épouser, dit-elle.

Je sais que la situation est inhabituelle. Qu'il y a des problèmes. Ce n'est pas une découverte, ni pour lui ni pour moi, que la vie est compliquée.

Je te comprends, Henry, dit Frank. Tu me connais si peu, tu peux avoir une mauvaise impression. Je ne t'en voudrais pas, si c'était le cas.

Après le départ de ton père, reprit ma mère, j'ai cru que je resterais seule jusqu'à la fin de ma vie. Que je n'aimerais plus jamais quelqu'un. À part toi. Je ne pensais pas être capable de me remettre à espérer.

Je ne m'immiscerai jamais entre toi et ta mère, Henry. Mais je crois que nous pourrions former une famille.

J'ai failli demander comment c'était censé se passer, avec eux sur l'île du Prince Edward et moi dînant chaque soir avec mon père, Marjorie, et sa précieuse cargaison, qui ne pouvait monter que dans une voiture blanche ? J'avais envie de dire : peut-être que tu pourrais réfléchir, m'man, à ce qui s'est passé la dernière fois que ce type a eu une famille ? Dans ce domaine, son dossier est pas terrible.

Mais, aussi fou de rage et effrayé que je l'étais, je savais que c'était injuste. Frank n'était pas un assassin. Je voulais juste qu'il n'emmène pas ma mère et qu'ils ne me laissent pas seul.

Il faut que nous partions, dit alors ma mère. Nous devrons vivre sous une autre identité. Tout recommencer avec de nouveaux noms.

Donc ils allaient disparaître, tous les deux.

Pour être franc, j'avais rêvé de faire ça. Parfois, en classe, devant une mappemonde, je m'étais imaginé répondre à un appel de la Nasa demandant des volontaires pour aller habiter sur une autre planète, ou m'enrôlant dans le Corps de la Paix, ou aller travailler avec Mère Teresa en Inde, ou adhérer au Programme de protection des témoins, où la chirurgie plastique vous fabrique un nouveau visage et de nouvelles cartes d'identité. Ils diraient à mon père que j'étais mort dans un tragique incendie. Il serait triste, mais il s'en remettrait. Marjorie serait heureuse. Plus de pension alimentaire à verser pour moi.

Nous avons pensé au Canada, disait ma mère. On y parle anglais, et on n'a pas besoin de passeport pour y entrer. J'ai un peu d'argent de côté. Frank en a aussi, l'héritage de sa grand-mère, seulement, s'il essayait de le récupérer, on le retrouverait.

Je me taisais. Je regardais ses mains. Me rappelant leurs caresses sur ma tête quand nous étions assis côte à côte sur le canapé. Elle les tendait maintenant pour me lisser les cheveux, mais je l'ai repoussée.

Génial, ai-je dit. J'espère que vous ferez un merveilleux voyage. On se reverra peut-être un jour?

Qu'est-ce que tu racontes? Nous partons tous les trois, espèce d'andouille. Comment pourrais-je vivre sans toi?

Donc j'avais tout faux. La grande aventure était pour

moi aussi. Eleanor m'avait mis un tas d'idées folles dans la tête. J'aurais dû me méfier.

À moins que ce soit une ruse. Sans que ma mère le sache elle-même. C'était peut-être le moyen qu'avait trouvé Frank de la convaincre de le suivre – dire que je les rejoindrais, alors que ça ne se ferait jamais. Brusquement, je ne savais plus qui croire. Je ne savais plus quelle était la réalité.

Il faudra que tu quittes ton école, continuait ma mère, comme si j'allais souffrir de cette épreuve. Tu ne pourras dire à personne où tu vas. On chargera la voiture et, hop, on prendra la route.

Et les barrages? La police routière? Les photos dans les journaux et à la télé?

Ils cherchent un homme voyageant seul. Ils ne s'attendent pas à tomber sur une famille.

De nouveau le mot par lequel je me faisais toujours avoir. J'ai scruté le visage de ma mère, en quête d'un indice de mensonge. Puis j'ai regardé Frank, qui lavait encore la vaisselle.

Jusqu'à cet instant, je n'avais pas noté la différence. Il avait toujours le même visage, bien sûr, et le même corps, grand et musclé. Mais ses cheveux, bruns grisonnants, étaient devenus noirs. Teints. Et les sourcils aussi. Il avait un petit air de Johnny Cash. Dont je connaissais les disques depuis l'époque où Evelyn et Barry venaient souvent à la maison. Allez savoir pourquoi, Barry adorait *Live from Folsom Prison*[1], alors on l'écoutait tout le temps.

---

1. Album enregistré au pénitencier de Folsom.

À présent, je nous imaginais tous les trois sur une île
– Prince Edward, évidemment. Ma mère cultiverait des
fleurs et pratiquerait son violoncelle. Frank peindrait les
maisons des gens et réparerait les objets. Le soir, dans notre
petite ferme, il ferait la cuisine et, après dîner, nous joue-
rions aux cartes. Ça ne me gênerait pas qu'ils couchent
ensemble. J'aurais grandi, j'aurais ma propre petite amie,
et nous irions dans les bois, ou sur une falaise au bord de
l'océan, là où coule le Gulf Stream. Quand elle sortirait de
l'eau, nue, je prendrais la serviette et je l'essuierais.

Je dois demander ta permission, dit Frank. Tu es le
seul parent de ta mère. Nous avons besoin de ton accord
pour faire cela.

Elle tenait sa main pendant qu'il parlait. Mais elle
tenait la mienne aussi, et en cet instant du moins, il semblait possible, sensé même, qu'une femme puisse aimer à
la fois son fils et son amant, sans que personne y trouve
à redire. Nous serions heureux. Et qu'elle soit heureuse,
pour moi c'était rudement bien. Cette rencontre – pas
seulement la leur, la nôtre, à tous les trois – constituait le
seul vrai brin de chance survenu dans la vie de chacun
d'entre nous depuis longtemps.

Oui, ai-je dit. C'est d'accord. Le Canada.

# 18

Personne n'aurait imaginé qu'il pouvait faire encore plus chaud, et pourtant si. Cette nuit-là, je suis resté en caleçon, avec un torchon mouillé sur le ventre. J'aurais pensé que ma mère et Frank s'accorderaient une nuit de répit, mais la chaleur semblait les rendre encore plus enragés que d'habitude.

Les nuits précédentes, j'avais eu le sentiment qu'ils attendaient que je sois endormi, du moins c'est ce qu'ils croyaient, avant de commencer, mais peut-être parce qu'ils m'avaient parlé de leur mariage et de notre futur voyage au Canada – en quelque sorte, je leur avais donné ma bénédiction –, ils s'y sont mis avant même que j'aie éteint ma lampe.

*Adele. Adele. Adele.*

*Frank.*

Sa voix basse et grondante à la Johnny Cash. L'autre, douce et haletante, puis de plus en plus forte. Puis le dossier du lit contre la cloison. Elle, poussant un cri d'oiseau. Lui, grognant comme un chien qui rêve d'un os que quelqu'un lui a donné un jour, qui se rappelle l'avoir sucé jusqu'à la moelle.

Allongé dans la chaleur moite, sans un souffle d'air pour agiter les rideaux, je pensais à Eleanor, histoire de me détacher de la situation présente. À l'exception de sa maigreur, elle était jolie. Peut-être pas jolie, mais entourée d'une sorte d'aura magnétique. L'impression que rien qu'à la toucher on allait recevoir une décharge électrique, mais pas forcément désagréable. Quand elle m'avait embrassée, je lui avais trouvé un goût de Vicks décongestionnant. D'eucalyptus. Elle avait introduit sa langue dans mon oreille.

Elle était aussi un peu givrée, mais ça valait peut-être mieux. Plus banale, elle comprendrait – ou ne tarderait pas à le découvrir – qu'être ami avec moi constituait un piètre moyen de renforcer son statut social à l'école. J'avais déjà mentionné la chose à la bibliothèque, elle s'était contentée de me regarder.

À la rentrée, tu ne voudras peut-être pas qu'on te voie me parler. Dans la bande, ils te prendraient pour une ratée.

Pourquoi je voudrais être amie avec ces gens-là ?


Maintenant je nous imaginais en train de nous embrasser, mais pas debout. Couchés. Ses mains posées sur ma tête, ses doigts me raclant les cheveux. Elle faisait penser à une chatte errante, mal nourrie et ombrageuse, avec un côté bête sauvage. Elle pouvait s'enfuir. Ou vous sauter dessus. On ne savait jamais si elle allait vous lécher ou vous griffer jusqu'au sang.

Je me la représentais sans son chemisier. Elle ne portait pas de soutien-gorge. Mais sa poitrine, que je croyais totalement plate, en réalité bombait légèrement, avec des petits tétons roses dressés, genre punaises.

Tu peux les embrasser, disait-elle.

C'est probablement ce que Frank et ma mère faisaient dans la chambre d'à côté, mais je ne voulais pas y penser, alors je me suis rebranché sur le circuit Eleanor.

Sur quoi tu aimerais que je pose mes lèvres? me demandait-elle.

Le lendemain matin, ça sentait bon le café. Frank avait trouvé des myrtilles sauvages dans les broussailles au fond du jardin, et il les avait mélangées à la pâte à crêpes. Dommage qu'on n'ait pas de sirop d'érable, dit-il. Dans la ferme de ses grands-parents, ils incisaient leurs érables et, au mois de mars, ils faisaient bouillir la sève dans leur cabane à sucre. Ils en réduisaient une partie de façon à obtenir la crème qu'ils étalaient sur les biscuits.

Je travaillerai très dur quand nous serons au Canada, dit-il. Je veux que tu aies tout ce que tu désires. Une belle cuisine. Une véranda. Une chambre avec un lit surélevé et une fenêtre donnant sur les champs. L'été suivant, je ferai un jardin.

S'adressant à moi : Toi et moi, mon pote, on pourra s'entraîner sérieusement. Au bout de quelques mois, tu seras capable d'arrêter une balle de revolver dans ton gant.

Dans les films, il y a toujours une scène typique où l'on voit les gens en train de tomber amoureux. *Butch Cassidy et le Kid* serait un bon exemple, mais je pourrais vous en citer plein d'autres. Pas de détails superflus, il suffit d'une musique de fond, une de ces chansons romantiques qui vous trottent dans la tête, pendant que les deux amoureux s'amusent à des tas de choses : ils font du vélo ou ils courent à travers champ en se tenant par la main, ils mangent des glaces, ou ils tournent dans un manège. Ils sont dans un restaurant, et il lui donne la becquée, en général des spaghettis. Ils rament dans une barque, ils chavirent, mais quand leur tête émerge de l'eau, ils rient. Personne ne se noie. Tout est parfait, même quand ça semble foirer complètement.

Le jour dont je vous parle, on aurait pu filmer des scènes de ce genre avec nous, sauf qu'au lieu de montrer deux personnes tombant amoureuses, elles en auraient montré trois en train de former une famille. Une histoire à l'eau de rose, mais vraie, qui commence avec les crêpes et ne s'arrête plus.

Après avoir rangé la vaisselle, Frank et moi nous sommes livrés à une nouvelle séance de lancer de balles, et il m'a dit que je faisais des progrès, ce qui était exact. Ensuite ma mère est sortie de la maison, nous avons lavé la voiture ensemble, et à la fin elle a braqué le tuyau d'arrosage sur Frank et moi, nous avons été trempés, mais vu la chaleur, on s'est sentis juste bien. Ensuite Frank lui a pris le tuyau des mains, a dirigé le jet sur elle, elle était si mouillée qu'elle a dû rentrer se changer, puis elle nous a crié de l'attendre en bas, et elle nous a fait un défilé de mode. En réalité, le défilé était pour Frank, mais j'ai aimé moi aussi la regarder marcher en se déhanchant, comme un mannequin sur un podium, ou une fille passant le concours de Miss Amérique.

De ces vêtements qu'elle enfilait l'un après l'autre, il y en avait des tas que je ne lui avais jamais vu porter, probablement parce qu'elle n'en avait pas eu l'occasion. Frank, à l'évidence, adorait, et moi aussi, d'une manière différente. Elle était si jolie, j'étais fière d'elle. Et j'étais content de la voir si heureuse. Non seulement parce que je voulais qu'elle soit heureuse, mais parce que ça me soulageait fichtrement. Je n'aurais plus à m'inquiéter pour elle en permanence, et à chercher des moyens de la dérider.

Pour le déjeuner, Frank nous mitonna un de ses potages sensationnels, à base de pommes de terre et d'oignons, qu'il servit froid, juste ce qu'il fallait par cette chaleur. Ensuite, ma mère décida de lui couper les cheveux. Ensuite Frank décréta que moi aussi j'en avais besoin, et qu'il allait s'en charger. Et il s'en acquitta rudement bien. En prison, nous dit-il, il coupait les cheveux de tout le monde. On leur interdisait de posséder des ciseaux, mais un type de son bloc en cachait une paire sous une dalle disjointe dans la cour.

Il ne parlait presque jamais des lieux où il avait passé ses dernières dix-huit années, mais il nous raconta que, après la découverte des ciseaux par un gardien, et le retour au rasoir mécanique, les hommes aimaient se rappeler le bon vieux temps où Frank s'occupait d'eux.

Ma mère lui apprit le pas de deux texan, même si à cause de sa jambe il avait du mal à la suivre.

Dès que je serai complètement rafistolé, Adele, je t'emmènerai danser en ville.

Ce serait au Canada.

À cause de la chaleur, nous n'avions pas faim pour le dîner, mais ma mère nous prépara du pop-corn avec du beurre fondu, puis nous avons étalé des coussins sur le sol devant la télé, et nous avons regardé un film, *Tootsie*.

Voilà ce qu'on pourrait faire quand on passera la frontière, dit ma mère à Frank. T'habiller en femme. Avec un de mes tailleurs.

Du coup, ça nous a ramenés à la réalité. Le temps d'une journée, nous nous étions comportés en personnes insouciantes dont le seul gros problème consisterait à déboucher le vide-ordures, mais lorsque nous nous sommes imaginés en train de franchir la frontière d'un pays étranger, ayant entassé dans la voiture tout ce que nous possédions au monde, sans savoir exactement où aller, sinon que ce devait être loin, nous nous sommes tus.

Dustin Hoffmann est plutôt mignon en femme, a dit ma mère, essayant de rompre le silence.

Alors moi : Je préfère le type Jessica Lange.

Et Frank : Moi, c'est le type Adele.

Le film terminé, j'ai dit que j'étais fatigué, je suis monté, mais pas pour me mettre au lit. Je me suis assis à mon bureau, pensant que je devais écrire une lettre à mon père. Il était probable que je ne le reverrais pas avant long-temps, et même si nos rencontres étaient rarement agréa-bles, je me sentais triste.

*Cher papa, je ne peux pas te dire maintenant où je vais, mais je ne veux pas que tu t'inquiètes.*

J'ai recommencé. *Cher papa, il se peut que tu n'entendes pas parler de moi pendant un certain temps.*

*Je veux que tu saches que j'ai vraiment apprécié toutes les fois que tu m'as emmené dîner.*

*Je veux que tu saches que j'ai vraiment apprécié ton aide pour mon devoir de sciences.*

*Je sais comme tu as travaillé dur pour nous conduire tous à Disney World.*

*Je suis heureux que tu aies eu d'autres enfants que moi à t'occuper.*

*Je ne te reproche rien.*

*Parfois, c'est bon pour les gens de ne pas se voir pendant un certain temps. Quand ils se retrouvent, ils ont des tas de choses à se raconter.*

*Ne t'inquiète pas pour moi, je te le répète. Tout ira bien.*

*Dis adieu pour moi à Richard et à Chloe. Et aussi à Marjorie.*

Arrivé au bas de la page, j'ai hésité un long moment. J'ai choisi *Sincèrement à toi.* Puis *Sincèrement* tout court.

Puis j'ai rayé les deux. Puis j'ai réfléchi que c'était stupide, que s'il regardait de près, il découvrirait ce que j'avais rayé, alors j'ai écrit *Bien à toi*. Moins risqué que l'autre idée envisagée : *Tendresses*.

# 19

Mardi matin. L'école devait reprendre le lendemain. Ma mère nettoyait le réfrigérateur. Elle avait commencé à emballer les objets qu'elle voulait mettre dans la voiture, il y en avait étonnamment peu. Des assiettes achetées chez Goodwill. Deux ou trois casseroles et faitouts. La cafetière.

Nous emporterions le lecteur de cassettes, mais pas la télévision. Je l'avais ouverte, pour me tenir compagnie pendant que je mangeais mes céréales. Jerry Lewis avait cédé la place au couple Regis et Kathie Lee.

Ce bruit ne me manquera pas, remarqua ma mère à propos de la télé. Sur l'île du Prince Edward, nous pourrons écouter les oiseaux.

Tu sais ce que nous ferons, Henry ? Nous t'achèterons un violon. Et nous trouverons un vieux violoniste canadien pour t'apprendre à en jouer.

Elle n'emportait pas son violoncelle puisque, c'est vrai, il ne lui appartenait pas, même si, comparé au délit majeur que nous allions commettre en franchissant la frontière avec Frank, il me semblait qu'il n'y avait pas de quoi faire un plat du vol d'un violoncelle de location. Peu importe, dit-elle. J'en achèterai un là-bas. Cette fois de taille normale. Nous jouerons ensemble, quand tu auras appris le violon.

Ce qui la chagrinait le plus, c'était d'abandonner nos provisions – le stock, de quoi tenir un an, de serviettes en papier et de papier toilette, et les boîtes de soupe Campbell. Il n'y avait pas de place dans la voiture, disait Frank, sans compter que, si on nous arrêtait à la frontière pour jeter un œil sur ce que nous transportions, ça paraîtrait suspect. Elle pouvait emporter une partie seulement de ses vêtements. De toutes ses merveilleuses tenues de danse – jupes et écharpes scintillantes, chapeaux ornés de fleurs de soie, chaussures à claquettes, ballerines de cuir souple et chaussures à talons hauts destinées au tango, elle devrait ne prendre que ses préférées.

Elle exigeait d'emporter les albums photo. Presque rien sur sa propre enfance, mais une demi-douzaine de volumes reliés cuir racontant la mienne, sauf qu'elle avait découpé au rasoir le visage de mon père chaque fois qu'il apparaissait. Sur plusieurs photos me montrant à deux ans, trois ans, quatre ans – on la voyait en blouse de grossesse. Puis vous tourniez la page, et pas de bébé. Sinon, au dos d'un des volumes, une empreinte, pas plus grosse qu'un timbre-poste. Fern.

En ce qui me concernait, je n'avais pas des masses de choses à emballer. Mes *Chroniques de Narnia*, le *Méga-Trésor des tours de magie*, deux livres de mon enfance, *Le Petit Chien paresseux* et *George le petit curieux*. Mon poster d'Albert Einstein tirant la langue.

Tout bien considéré, ce à quoi je tenais le plus, c'était Joe. À l'exception du jour où nous l'avions rapporté de l'animalerie, il n'avait jamais voyagé en voiture, mais je pensais que, s'il avait peur, je pourrais le sortir de sa cage et le cacher sous ma chemise, pour qu'il entende mon cœur. Je faisais ça parfois, même sans aller nulle part. Je sentais battre son cœur, plus vite que le mien, sous la douce fourrure soyeuse.

Il supportait très mal la vague de chaleur. Depuis deux jours, tourner sur sa roue ne l'intéressait plus du tout. Il restait allongé sur le sol de sa cage, haletant, les yeux vitreux. Il ne touchait pas à sa nourriture. Je lui avais fait ingurgiter un peu d'eau à l'aide d'un compte-gouttes, parce que se relever pour boire semblait représenter un trop grand effort.

Ce matin-là, j'ai dit à ma mère que j'étais très inquiet pour Joe. Je ne l'emmènerais pas en voiture tant qu'il ferait si chaud.

Nous devons parler de ça, Henry. Je ne crois pas qu'on ait le droit d'entrer au Canada avec un hamster.

On le fera passer en douce. Je le cacherai sous ma chemise. J'y ai déjà pensé, pour qu'il n'ait pas peur.

S'ils découvrent Joe, ils se mettront à tout vérifier. Et, très vite, ils découvriront la vérité sur Frank. La police l'arrêtera. Ils nous renverront ici.

Joe fait partie de la famille. On ne peut pas l'abandonner.

Nous lui trouverons un bon foyer. Peut-être que les Jervis le prendraient pour leurs petits-enfants.

J'ai regardé Frank. Accroupi, il récurait le carrelage. Ils

voulaient laisser les choses dans le meilleur état possible, disait ma mère. Que les gens n'aillent pas cancaner sur son compte. Maintenant Frank passait la lame d'un couteau le long de la rainure, à la jonction des carreaux et du mur, afin d'en extraire toutes les saletés. Il ne leva pas les yeux, ne croisa pas mon regard. Ma mère frottait à la paille de fer la grille du four, encore et encore, toujours au même endroit.

Si Joe ne part pas, alors moi non plus, ai-je déclaré. C'est la seule chose de cette maison à quoi je tienne.

Elle se rendit compte qu'elle n'avait pas intérêt à proposer d'acheter un autre hamster. Ou un chien, même si j'avais toujours voulu en posséder un.

Tu ne m'as même jamais demandé si ça me ferait de la peine de ne plus jamais voir mon papa, ai-je dit. Il y a des gens qui ont des frères et des sœurs. Moi, tout ce que j'ai, c'est Joe.

Je savais le mal que je lui faisais. Apparemment, son visage demeurait le même, pourtant on avait l'impression qu'on lui avait injecté une substance chimique, aux effets terriblement toxiques. Comme si la peau s'était congelée.

Ça pourrait tout gâcher, dit-elle. D'une voix si douce que je l'entendais à peine. Tu me demandes de mettre en danger l'homme que j'aime à cause d'un hamster.

Je l'ai détestée de tourner cette histoire en ridicule. Comme si ma vie entière reposait sur une plaisanterie.

Pour toi, les seules choses importantes, c'est ce qui te concerne, ai-je dit. Toi et lui. Tout ce que tu veux, c'est baiser avec lui.

Ce mot-là, je ne l'avais jamais utilisé avant. Je ne l'avais même jamais entendu prononcer chez moi. Jusqu'à ce qu'il sorte de ma bouche, je n'aurais pas cru qu'un mot pût avoir tant de pouvoir.

Je me suis rappelé la fois où elle avait vidé la bouteille de lait par terre, et une autre – si lointaine que le souvenir ressemblait à ces vieilles photos Polaroïd déjà presque totalement effacées – où réfugiée dans la penderie, un vêtement lui cachant les yeux, elle émettait un son comparable à celui d'un animal mourant. J'ai compris, bien plus tard, que cela avait dû se passer après la mort du bébé. Le dernier. J'avais oublié, mais maintenant je la revoyais accroupie sur le plancher, ensevelie sous les vêtements, avec autour d'elle, pêle-mêle, nos bottes d'hiver, un parapluie et le tuyau de l'aspirateur. Je m'étais jeté sur elle comme pour empêcher ce son de sortir. J'avais mis ma main sur sa bouche, je lui avais frotté le visage avec ma chemise, le son avait continué.

Maintenant, la scène était muette, ce qui se révélait encore pire. C'est ainsi que je me représentais Hiroshima – sur quoi j'avais écrit un devoir un jour –, après le lâchage de la bombe. Les gens figés à l'endroit où ils se trouvaient, les yeux fixes, la peau de leur visage fondant.

Pétrifiée, ma mère tenait toujours la grille du four. Elle était pieds nus, un vieux torchon à la main.

Ce fut Frank qui rompit le silence. Il posa son couteau, se releva et passa son long bras autour de ses épaules.

C'est pas grave, Adele, dit-il. On va régler le problème. On emportera le hamster. Mais, Henry, je te prie de demander pardon à ta mère.

Je suis monté dans ma chambre. J'ai commencé à sortir mes vêtements des tiroirs. Les T-shirts de sport, dont je me fichais. Une casquette de baseball achetée par mon père pour le match des Red Sox qu'il nous avait emmenés voir, Richard et moi, où, au septième tour de batte, je m'étais mis à faire des mots croisés. Des lettres d'Arak, mon correspondant africain, dont je n'avais plus de nouvelles depuis deux ans. Un morceau de pyrite que, plus jeune, j'avais pris pour de l'or. Je m'étais dit qu'un jour je le vendrais et qu'avec tout l'argent que ça me rapporterait, j'emmènerais ma mère faire un formidable voyage. Dans un endroit du genre New York ou Las Vegas, plein de salles de danse. Pas l'île du Prince Edward.

Je suis allé dans la chambre de ma mère, où se trouvait le lecteur de cassettes que j'ai emporté dans la mienne. J'ai mis une cassette des Guns n'Roses, à plein tube. C'était un appareil de mauvaise qualité, quand on montait le son, on entendait racler les basses, mais c'était probablement le but recherché.

J'ai passé l'après-midi dans ma chambre. J'ai entassé tout ce que je possédais dans des sacs poubelles. Deux ou trois fois, j'ai hésité à jeter tel ou tel objet, mais je voulais qu'il ne reste que des cendres. Un seul truc épargné, et ça change tout.

Enfin, dans la soirée, après avoir transporté le dernier des sacs à côté des grandes poubelles, j'ai sorti de ma poche le numéro de téléphone d'Eleanor. Je me suis dirigé lentement vers l'appareil, traversant le living où ma mère et Frank vidaient les étagères de leurs livres, qu'ils mettaient dans des cartons pour une vente tout à vingt-cinq cents organisée par la bibliothèque, où ils avaient d'ailleurs été achetés pour la plupart.

Je suis passé sans dire un mot.

J'ai fait le numéro d'Eleanor. Elle a répondu dès la première sonnerie.

Est-ce que tu veux qu'on se voie ?

En d'autres circonstances, ma mère m'aurait demandé où j'allais. Elle ne me posa pas la question, mais je le lui dis néanmoins.

Je vais voir une fille que je connais, au cas où ça t'intéresserait.

Ma mère s'est retournée et m'a regardé. Avec cette même expression que je me suis rappelé lui avoir vue le jour où mon père était venu me chercher, la première fois depuis la naissance de Chloe, et que, de la cour, par la vitre baissée de la voiture, on entendait pleurer le bébé. J'avais compris alors que frapper quelqu'un n'était pas le seul moyen de le démolir.

Nous n'allons rien faire d'autre que ce que tu ferais toi-même, ai-je crié en claquant la porte derrière moi.

J'ai retrouvé Eleanor sur l'aire de jeux dans le parc, il n'y avait personne d'autre. Il faisait trop chaud. On s'est assis sur les balançoires. Elle portait une robe si courte qu'on pouvait penser que, peut-être, elle n'avait pas fini de s'habiller.

Tu ne croiras pas ce que ma mère a dit. Elle a prétendu qu'on ne doit pas emmener mon hamster.

Eleanor tripotait sa natte. Sur quoi, elle en a passé l'extrémité sur ses lèvres, comme si elle les maquillait avec un pinceau.

Tu n'es peut-être pas très au courant, mais les psychologues disent qu'on apprend un tas de choses sur les gens à la façon dont ils traitent les animaux. C'est pas que ta mère soit méchante ni rien. Mais prends les tueurs psychopathes, ils ont presque toujours commencé par torturer leurs bêtes. John Wayne Gacy, Charles Manson. Il faut entendre ce qu'ils ont fait aux chats avant de s'attaquer aux gens.

Je les hais tous les deux. Frank et ma mère. Elle se fiche pas mal de ce que je veux. Frank fait semblant de s'y intéresser, en réalité il veut juste se payer du bon temps avec elle.

La drogue du sexe. C'est ce que je t'ai dit.

Ils pensent qu'ils sont responsables de moi.

C'est ça que tu t'imagines ? Les parents font tous ça. Ils nous aiment bien tant qu'on est des bébés, mais dès qu'on a des idées à nous, différentes des leurs, ils nous obligent à la boucler. Tiens, hier une femme a appelé de l'école où je veux aller pour demander à mon père s'il envisagerait pas un plan de financement de mes études, je le sais parce que j'écoutais.

Tu veux savoir ce qu'il a répondu ? *À vrai dire, mon ex-femme et moi avons décidé que la meilleure solution pour Eleanor en ce moment est qu'elle vive chez l'un ou chez l'autre d'entre nous. Elle souffre de troubles du comportement alimentaire, ce qui nous a amenés à conclure que nous la surveillerions mieux si nous la gardions à la maison.*

Comme s'il ne pensait qu'à moi. Comme si ça n'avait rien à voir avec les douze mille dollars qu'il veut pas fournir.

Et moi, dis-je. Ma mère n'a même pas dit à mon père qu'elle m'emmenait. Elle n'en a jamais discuté avec moi.

En vérité, quelque chose me plaisait bien dans ce projet – la disparition des dîners du samedi soir chez Friendly avec mon père et Marjorie. Mais ma mère n'aurait pas dû tenir la chose pour acquise. Elle aurait dû me consulter.

Les parents veulent toujours tout diriger, poursuivit Eleanor. Quand tu auras dénoncé ce type et qu'on l'aura arrêté, cette histoire va coller à la peau de ta mère. C'est toi qui auras le pouvoir.

Jusqu'à cet instant, tout ce qui m'importait, c'était ma rage – ma rage et plein d'autres sentiments, aucun recommandable. D'abord j'avais eu peur que ma mère et Frank partent sans moi. Ensuite, je me sentais en quelque sorte laissé pour compte – je n'étais plus la personne la plus importante de la vie de ma mère – et je ne savais pas ce qui m'attendait. Mais, aussi furieux que je pouvais être, il y avait une chose que je refusais – lui coller cette histoire à la peau. En vérité, je voulais qu'elle soit heureuse. Simplement, je voulais qu'elle soit heureuse avec moi.

L'autre partie de la phrase d'Eleanor, qui concernait la dénonciation de Frank, me fit frissonner. Involontairement, je pensai à nos séances de lancer de balles. Je nous revoyais, lui et moi, dans la cuisine, quand il préparait le gâteau aux myrtilles en forme de cœur pour ma mère, je le revoyais sortir Barry de la baignoire et l'asseoir sur le lit, et lui couper les ongles. Et comme il sifflait en faisant la vaisselle. Ou disant : *L'homme le plus riche d'Amérique ne mangera pas ce soir une tarte aussi bonne que la nôtre.* Disant aussi : *Tu vois la balle, Henry ?*

Je réfléchis à ton idée, ai-je dit. Malgré tout leur binz, je crois que j'ai pas envie de faire quelque chose qui le renverrait en prison. Il devrait sûrement y rester très longtemps si on l'arrêtait maintenant. Ils le puniraient encore plus pour son évasion.

Voilà, nous y sommes, Henry. T'en débarrasser, tu te rappelles ? Le virer de ton existence.

Mais il ne mérite peut-être pas non plus de pourrir en prison jusqu'à la fin de ses jours. C'est plutôt un type gentil, sauf qu'il veut emmener ma maman. Et s'il retournait en prison, elle serait vraiment triste. Peut-être qu'elle s'en remettrait pas.

Elle sera triste pendant un temps, dit Eleanor. Plus tard, elle te remerciera. Et n'oublie pas l'argent.

Je suis trop jeune. J'ai pas besoin de tant d'argent.

Tu rigoles ? Tu sais tout ce que tu pourrais faire avec l'argent de la récompense ? Tu pourrais t'acheter une voiture, comme ça tu l'aurais quand tu passeras ton permis. Tu pourrais acheter un de ces super-équipements stéréo. Tu pourrais aller à New York et descendre dans un hôtel.

Tu pourrais même demander à entrer à la Weathervane, comme je le voulais, moi. Je parie que tu adorerais ce bahut.

Je trouve ça injuste. C'est comme cafter. Ils ne devraient pas récompenser les gens pour ce genre de truc.

Eleanor pencha la tête pour écarter sa frange et me regarda de ses yeux anormalement grands – les seuls que j'avais jamais vus avec tant de blanc autour de l'iris, ce qui la rendait fascinante, mais aussi la faisait ressembler à un personnage de bande dessinée. Elle me toucha la joue. Caressa mon cou. Sa main descendit le long de ma chemise, on avait l'impression qu'elle répétait une scène de film. Ses ongles rongés laissaient voir la chair rouge à l'extrémité.

Une des choses que j'aime chez toi, Henry, dit-elle, c'est que tu es si gentil. Même envers des gens qui ne le méritent peut-être pas. En réalité, tu es des tonnes plus sensible que la plupart des filles que je connais.

Je veux juste faire de mal à personne.

Je m'étais levé de la balançoire et étais allé m'asseoir dans l'herbe un peu plus loin. Elle me suivit, me saisit par les épaules et me fit tournoyer, son visage se rapprocha du mien, je sentais son haleine.

Alors elle m'embrassa. Et maintenant, exactement comme dans la scène que j'avais rêvée, j'étais allongé sur le dos, et elle au-dessus de moi. Elle m'enfonçait sa langue dans la bouche encore plus profondément que la première fois, et sa main descendait toujours plus bas.

Regarde ce qui s'est passé, dit-elle. Je t'ai fait avoir une érection.

Elle s'exprimait comme ça.

On pourrait faire l'amour, dit-elle aussi. Je l'ai encore jamais fait, mais il faut tenir compte de l'attraction chimique qui se manifeste entre toi et moi.

Elle se débarrassait de sa petite culotte. Pourpre avec des cœurs rouges.

Depuis le temps que je ne pensais qu'à ça, mais sans perspective réelle, maintenant que l'occasion se présentait, je ne pouvais pas. Il n'y avait personne alentour. Pourtant je ne me sentais pas en sécurité.

Je crois qu'on devrait d'abord mieux se connaître, ai-je dit. Horrifié, j'ai entendu ma voix, non pas la nouvelle aux tons graves, l'ancienne, celle de la classe de cinquième, haut perchée.

Si c'est parce que tu as peur que je tombe enceinte, tu n'as rien à craindre. J'ai pas eu mes règles depuis des mois. Ça signifie que j'ai pas d'œufs mûrs accrochés à l'intérieur.

Maintenant, sa main se posait sur mon pénis, elle le tenait comme une star de cinéma tenant l'oscar qu'elle vient de gagner. Ou un reporter sur le lieu d'un accident de voiture tenant son micro. Oui, plutôt ça.

Tu sais ce qui arrivera si tu ne le dénonces pas à la police ? dit-elle. Ta mère et lui t'emmèneront loin, et on ne se reverra plus jamais, toi et moi. Et je me retrouverai coincée à Holton Mills Junior, sans un seul ami, et je cesserai peut-être complètement de manger, dans ce cas ils me renverront dans la clinique spécialisée.

Je peux pas le faire. Je suis trop jeune.

Que j'aie dit ça, je n'en croyais pas mes oreilles.

Je pense que Frank et ma mère essaient d'agir le mieux possible, ai-je ajouté. Ce n'est pas leur faute.

T'es pas vrai! a-t-elle dit en se relevant et en renfilant sa petite culotte, une jambe après l'autre, si maigres qu'elles ressemblaient à des pattes de poulet.

J'ai toujours su que tu étais un ringard, mais je pensais que tu avais du potentiel. En réalité, tu n'es qu'un imbécile.

Elle avait remis sa robe et se tenait debout, au-dessus de moi, se tapotant la poitrine pour en chasser la poussière et refaisant sa natte.

Comment j'ai pu croire que tu étais un type dans le coup? C'est toi qui avais raison. Quand tu m'as dit que tu étais un raté total.

Ce soir-là, au dîner, ma mère nous a servi du poisson. Une idée pas mauvaise vu le stock restant de conserves Cap'n Andy.

Nous avons mangé en silence. Ma mère s'était versé un verre de vin, puis un deuxième, Frank ne buvait rien. À un moment du repas, je me suis levé et suis allé dans le living. Un paquet d'acteurs, déguisés en grains de raisins, dansaient autour d'un gigantesque bol de céréales.

Frank et ma mère avaient à peu près fini de charger la voiture. Ils prévoyaient de partir tôt le matin, après un arrêt à la banque. Seule question en suspens : combien d'argent pouvait-elle retirer sans éveiller les soupçons? D'autant que, une fois au Canada, il lui serait peut-être impossible d'en retirer d'autre.

Je n'étais pas fatigué, mais je suis monté me coucher de bonne heure. Ma chambre était vide, aux murs il ne restait qu'un poster de *Star Wars* et mon certificat de joueur en Ligue junior, deux ans auparavant. Emballés, les vêtements que nous n'emportions pas avaient été déposés à côté de la benne de Goodwill. Pas question, disait ma mère, que des étrangers viennent tripoter nos affaires après notre départ. Mieux valait s'en débarrasser de façon que personne ne sache d'où ils venaient.

Je n'arrivais pas à lire. Je pensais à Eleanor, penchée au-dessus de moi, je revoyais ses jambes maigres et bronzées, ses côtes pointues, ses coudes osseux m'appuyant sur la poitrine. J'essayais de lui substituer d'autres images – Olivia Newton-John ou la fille qui jouait dans *The Dukes of Hazzard,* ou Jill dans *Charlie's Angels,* même la sœur dans *Happy Days.* Des types de filles bien plus sympathiques, mais je continuais à voir son visage, à entendre le son de sa voix.

*Je t'ai fait avoir une érection.*
*Pitoyable. Raté. Imbécile.*


Un peu plus tard, ma mère et Frank sont montés. Les nuits précédentes, j'entendais des murmures, parfois des rires étouffés. Elle devait se brosser les cheveux, ou c'était lui qui les lui brossait. Ensuite la douche. J'imaginais les mains de Frank sur son corps, il me semblait entendre un bruit de claque, suivi de nouveaux rires.

*Arrête.*

*Tu sais que tu aimes ça.*
*Oui.*
À présent, aucun bruit ne venait de sa chambre. Seul le craquement des ressorts quand ils se mirent au lit. Ni gémissements, ni cris d'oiseau.

J'attendais les murmures d'amour, je n'entendais que les battements de mon cœur. Le son de leurs voix me manquait.

*Adele. Adele. Adele.*
*Frank. Frank.*
*Adele.*

Plus aucun son ne passait par la fenêtre. Les derniers barbecues, les dernières soirées du week-end étaient terminés. Pas de retransmission de match. Les Red Sox devaient avoir été éliminés. Plus de lumières dans les maisons alentour, sauf, chez les Edward, le bleu fluorescent du tube attirant les insectes, et le faible grésillement quand un moustique se jetait contre le grillage.

# 20

Mercredi. Il n'y a pas eu de café ce matin-là. Ma mère avait empaqueté la cafetière. Ni œufs au plat. On s'arrêtera en route, avait-elle dit.

À mon réveil, j'avais de nouveau vécu un de ces instants où, quand vous ouvrez les yeux, vous ne savez plus où vous êtes, ni ce qui se passe. Puis ça m'était revenu.

Nous partons, ai-je dit. À l'intention de personne. Je voulais juste entendre les mots. Dans cette chambre vide, au tapis roulé, ma voix sonnait différemment. Sur le bureau, il y avait l'enveloppe contenant le petit mot pour mon père. Je l'ai mise dans ma poche.

Il pleuvait, avec un ciel gris d'encre. Mais la chaleur avait cédé. On était soulagé.

Il y avait quelqu'un sous la douche, qui sifflait. Donc Frank. Je suis descendu. Il était encore très tôt, autour de six heures peut-être, mais j'entendais ma mère s'agiter.

Elle se tenait sur le seuil de la pièce débarras. Elle portait un pantalon à carreaux que je lui connaissais depuis des éternités, je me suis rendu compte qu'elle avait beaucoup maigri depuis quelque temps.

J'ai des mauvaises nouvelles.

J'essayais de deviner ce qui constituait des mauvaises nouvelles pour elle. Sûrement pas les mêmes choses que pour des gens normaux.

C'est Joe, dit-elle. Quand je suis venue chercher la cage pour la mettre dans la voiture, il ne bougeait pas. Étendu, comme ça.

J'ai couru vers la cage.

Il est juste fatigué, ai-je dit. Il aime pas bouger quand il fait chaud. Il me mordillait la main hier soir quand je suis venu lui souhaiter bonne nuit.

Il était couché sur le journal. Les yeux ouverts, mais fixes, et les pattes étirées devant lui, le genre super-héros en position de vol. La queue repliée sous lui, la bouche légèrement entrouverte, comme s'il voulait dire quelque chose.

Vous l'avez tué, ai-je crié. Tous les deux. Vous n'avez jamais eu l'intention de l'emmener, alors vous vous en êtes débarrassés.

Tu ne crois pas ce que tu dis. Tu sais que je n'aurais jamais fait une chose pareille. Et Frank non plus.

Ah ouais? Si je me rappelle bien, il a laissé mourir son gosse.

Dehors, il faisait presque nuit. La pluie rendait le sol boueux, lourd, j'avais du mal à enfoncer ma pelle.

Tout en creusant la tombe de Joe, je suis revenu sur ma décision de ne pas appeler la police. Je me fichais de la récompense, et des trucs du catalogue de SkyMall. Ce que je voulais, c'était les punir. Dénoncer Frank serait une bonne solution.

Je le jure, répétait ma mère, qui m'avait suivi jusque dans le jardin. Jamais je ne ferais de mal à quelqu'un que tu aimes.

Tout en creusant, je me rappelais ce qu'elle m'avait raconté, des années auparavant, pour m'expliquer pourquoi j'étais enfant unique. Je l'imaginais, dans le jardin de notre ancienne maison, celle où habitait mon père désormais, enfouissant le caillot enveloppé dans un mouchoir de ce qui aurait dû être mon frère ou ma sœur. Et l'autre fois : la boîte de cigares contenant les cendres de Fern.

Maintenant, Frank approchait. Ma mère le repoussa.

Henry voudrait qu'on lui fiche la paix, dit-elle.


Quand je suis sorti et que j'ai commencé à longer la rue, je ne savais pas où j'allais. J'ai continué un moment, pour finir par me rendre compte que je me dirigeais vers la maison de mon père.

De la cour j'ai vu une lumière au premier. Mon père devait être déjà levé et prenait son petit-déjeuner seul dans la cuisine en lisant la page des sports. Marjorie descendrait dans une minute pour préparer le biberon de Chloe.

Mon père embrasserait sa femme sur la joue, lèverait les yeux de son journal, dirait quelque chose à propos de la pluie. Rien de particulier, juste un moment agréable, comme les dîners chez Friendly où quand il essayait de nous entraîner Richard et moi dans une conversation sur notre joueur favori des Sox. Moi excepté, ils formaient une famille normale.

Pendant le trajet, je m'étais représenté ouvrant la porte et lançant : Tu sais ce que tu prétendais toujours, que ma mère est folle ? Eh bien, écoute ça.

En moins de deux, il me ferait déménager. Ma valise d'ailleurs était déjà prête. Je devrais partager la chambre de Richard, qui détesterait ça. On nous installerait probablement des lits superposés.

Je me demandais si Richard se livrait aux mêmes activités nocturnes que moi. La seule personne qui pouvait le faire bander était probablement Jose Canseco. Je nous voyais mal, Richard et moi, discuter de ça. En mettant le linge dans la machine, Marjorie dirait à mon père : Tu dois avoir une conversation avec ton fils.

Avant, j'étais toujours furieux contre lui, maintenant, debout sous la pluie, voyant son ombre passer derrière la fenêtre, l'écoutant claquer la porte de derrière après avoir laissé sortir le chat, entendant les cris de Chloe – je ne l'appelais jamais ma sœur, ni ma demi-sœur, sachant la peine que ça ferait à ma mère – qui réclamait qu'on vienne la tirer de son lit, je n'éprouvais plus que de la tristesse. Cette maison n'était pas la mienne. Ce n'était la faute de personne. C'était comme ça, point.

J'ai glissé ma lettre dans la boîte aux lettres. Je connaissais la routine. Mon père ramasserait le courrier en rentrant en voiture du travail. Il le lirait avant le dîner. À ce moment-là, je serais quelque part près de la frontière canadienne.

Je rentrais à pied, quand une voiture de police s'est arrêtée à ma hauteur. Il était encore très tôt, et j'étais trempé. La pluie redoublait. Mon pantalon alourdi traînait dans les flaques, ma chemise collait. L'eau me dégoulinait sur les yeux, je voyais mal.

Tu as un problème, mon garçon? Le policier avait baissé sa vitre.

Non. Ça va.

Tu veux me dire où tu vas? C'est bien tôt pour qu'un gamin de ton âge soit dans la rue comme ça, sans veste ni rien. C'est pas aujourd'hui la rentrée des classes?

Je faisais juste une petite marche. Je rentre chez moi.

Grimpe. Je vais te raccompagner. Tes parents doivent s'inquiéter.

Il n'y a que ma mère. Mais elle s'inquiétera pas.

Pour plus de sûreté, je veux lui dire un mot. J'ai un fils de ton âge.

Nous sommes passés devant Pricemart, la bibliothèque, mon école, où quelques voitures étaient déjà sur le parking. Des profs du genre zélé, finissant d'arranger leur salle de classe, où on ne me verrait pas.

Nous avons longé la banque. Tourné à droite en direction de la colline, à gauche pour prendre ma rue, jusqu'au bout, en passant devant chez les Edward et les Jervis. Aussi fou de rage que j'étais contre ma mère, je lui envoyais des ondes mentales afin qu'elle ne soit pas sur le trottoir en train de charger la voiture. Surtout, je ne voulais pas que Frank se montre. Je lui expédiais un message télépathique, à la façon de Silver Surfer, lui disant de se réfugier au premier.

Elle était dehors, dans son pantalon rayé et en parka imperméable, mais elle ne chargeait rien. En voyant la voiture de police s'arrêter devant la maison, elle a juste mis la main devant ses yeux.

Mrs Johnson, j'ai trouvé votre fils sur la route. Je me suis dit que j'allais vous le ramener. Considérant notamment qu'il est censé entrer à l'école dans trois quarts d'heure, et qu'il était trempé comme une soupe.

Elle ne bougeait pas. Étant donné la façon dont ses mains tremblaient rien qu'au moment de passer devant la caisse du supermarché, j'imaginais ce que ça devait être maintenant. Elle les gardait dans sa poche.

En quelle classe es-tu? me demanda le policier. Cinquième, je suppose? Peut-être que tu connais mon fils.

Quatrième.

Pigé! C'est les filles qui t'intéressent, hein, Henry?

Merci de l'avoir ramené, a dit ma mère. Je savais ce qu'elle pensait.

À votre service, dit-il. Il a l'air d'un bon garçon. Qu'il continue comme ça. Il a tendu la main, c'est moi qui la lui ai serrée.


La veille, en allant pour la troisième fois déposer des cartons à côté de la benne de Goodwill, nous nous étions arrêtés devant chez Evelyn et Barry. Ma mère voulait leur donner des vieux jouets à moi. Un Rubik's cube, une ardoise ensablée, dont je ne voyais pas bien l'usage que pourrait en faire Barry, une Boule magique n° 8 avec un message qui apparaissait dans une petite lucarne en plastique disant ce que vous deviez faire de votre vie. Je ne voyais pas non plus à quoi ça pouvait servir dans le cas de Barry, ma mère pensait qu'il aimerait peut-être disposer dans sa chambre d'objets qu'on trouve dans la chambre de n'importe quel gamin normal. Je n'y tenais pas, mais je lui donnai aussi ma lampe à lave, ma mère disant que c'était le genre de truc qui risquait de vous causer des ennuis au passage de la frontière. On nous soupçonnerait de cacher de la drogue.

Evelyn est venue nous ouvrir en survêtement, elle avait dû s'entraîner en écoutant sa cassette de Richard Simmons. Elle disait toujours *nous* en parlant de ses exercices, comme si Barry s'y mettait aussi, en réalité, assis dans son fauteuil, il agitait les bras au son de la musique et couinait. Il préférait de loin Johnny Cash, mais Richard Simmons lui plaisait bien.

Quand nous sommes entrés, il s'est mis à hurler. Installé devant l'écran de télé où une bande de filles se livrait à des pitreries, il bondissait sur son siège, mais à ma vue, il a pointé le doigt sur l'écran, puis sur moi, a hurlé de plus belle, sauf que cette fois j'ai compris ce qu'il disait. Il disait *Frank*. Il voulait savoir où se trouvait Frank.

À la maison, lui ai-je répondu. Je ne risquais rien. Sa mère ne comprendrait pas, et on pouvait être sûr qu'il n'allait pas prendre le téléphone pour récolter les dix mille dollars.

Pour expliquer à Evelyn pourquoi nous lui apportions ces jouets, ma mère a simplement raconté que j'avais nettoyé ma chambre. Avant de retourner en classe, et tout le tralala.

J'aurais aimé lui dire adieu, soupira ensuite ma mère en nous ramenant à la maison. Peut-être qu'on peut trouver des amies plus géniales, mais c'était la seule que j'avais. Je suppose que je ne la reverrai jamais.

Et pourtant si. Le policier venait à peine de me déposer qu'Evelyn débarquait.

Frank se tenait dans le living, il s'est retourné, de dos il pouvait donner l'impression d'être en train réparer quelque chose, ce qui ne rendait pas moins évident le fait qu'un déménagement était en cours, ni moins indéniable la présence d'un homme dans la maison.

Oh, désolée, dit Evelyn. Il semble que j'arrive au mauvais moment. Je voulais simplement te prouver ma reconnaissance pour l'aide que tu m'as apportée l'autre jour en gardant Barry, Adele. Tu m'as sauvé la vie.

Elle avait fait des rouleaux à la cannelle – dont je n'espérais pas grand-chose vu l'expérience que j'avais eue un jour de ses talents de pâtissière. Ma mère affirmait qu'Evelyn était la seule personne de sa connaissance capable de rater les croissants Pillsbury prêts à cuire. Vrai aussi qu'Evelyn était quasiment sa seule personne de connaissance.

Je pense que je dérange, reprit-elle. Je ne savais pas que tu avais du monde.

Derrière elle, sur les marches, Barry poussait des sortes de hululements, genre oiseau de jungle, et s'agitait dans tous les sens. Je savais désormais que le son qu'il émettait représentait le nom de Frank. Lequel pourtant nous tournait toujours le dos.

Désolée, pas le temps de faire les présentations, dit ma mère. Ce monsieur est juste un réparateur. Henry et moi partons en voyage.

Evelyn jeta un œil. Plus de tapis, plus de livres. Disparus aussi le tableau représentant une mère avec un enfant sur les genoux, l'affiche montrant un poisson rouge dans un bocal, et celle où l'on voit deux ballerines en plein exercice. Vides les étagères de la cuisine.

Effectivement, dit Evelyn. Elle ne demanda pas où nous menait ce voyage, comme si elle était sûre de ne pas obtenir la vraie réponse.

Merci pour les gâteaux, dit ma mère. Ils ont l'air merveilleux.

Je pourrais peut-être reprendre mon assiette maintenant. Au cas où vous partiriez pour longtemps.

Toutes nos assiettes ayant disparu, ma mère posa les gâteaux sur le journal, au gros titre bien en évidence. Conséquemment à l'évasion de la semaine dernière, le directeur de la prison annonçait la mise en place de mesures de sécurité renforcées. Et pour ceux qui n'auraient pas suivi l'histoire depuis le début, le journal publiait de nouveau la photo de Frank, la poitrine barrée de son numéro matricule.

Prends bien soin de toi, Evelyn, dit ma mère.

Toi de même.

Nous sommes arrivés à la banque à neuf heures, juste pour l'ouverture des portes. Seuls ma mère et moi. Selon le plan adopté, dès que nous aurions l'argent, nous retournerions dare-dare à la maison prendre Frank et filerions plein nord vers la frontière.

Avant, quand nous avions besoin de liquide, c'était moi qui entrais dans l'agence, ma mère m'attendant dans la voiture. Je ne retirais jamais de somme importante, et les caissiers me connaissaient. Ce jour-là, ma mère jugea qu'il valait mieux que ce soit elle qui se charge de l'opération, puisqu'elle avait l'intention de vider son compte, ou presque.

Elle avait revêtu une tenue qu'elle devait s'imaginer convenir exactement à quiconque veut retirer onze mille trois cents dollars de son compte en banque. Deux personnes nous précédaient dans la queue. Une vieille femme, avec un tas de pièces de monnaie à échanger. Un homme, venu déposer deux chèques.

Notre tour arriva. Les mains tremblantes, ma mère posa son livret de banque sur le comptoir, ainsi que le formulaire de retrait.

Je t'aurais cru à l'école, mon garçon, dit la caissière. Muriel, d'après son badge.

Mon fils a rendez-vous chez le dentiste, dit ma mère.

Je savais que ça ne tenait pas debout. Personne, même elle, ne prendrait un rendez-vous de dentiste le jour de la rentrée scolaire.

C'est pour ça qu'il me faut cet argent. Pour un appareil.

Seigneur, c'est fichtrement cher. Si vous ne vous étiez pas déjà engagée, je vous aurais dit d'essayer l'orthodontiste de ma fille. On le paye par mensualités.

Il y a les dents, plus autre chose, dit ma mère. Une opération de l'appendicite.

C'était probablement la seule opération chirurgicale qui lui était venue à l'esprit, mais de toutes les interventions possibles, la plus idiote.

Je reviens toute de suite, dit Muriel. Pour un montant aussi important, j'ai besoin de l'approbation de mon supérieur. Non qu'il y ait le moindre problème, bien sûr. Nous vous connaissons, vous et votre fils.

Une femme entra, portant son bébé en bandoulière sur sa poitrine. Je regardai ma mère. C'était parfois des moments difficiles à vivre, cette fois-ci elle ne sembla même pas le remarquer.

Je n'aurais pas dû essayer de prendre tant, me chuchota-t-elle. J'aurais dû demander la moitié.

T'inquiète pas. C'est probablement ce qu'ils font toujours.

Muriel revint, un homme l'accompagnait.

Bien entendu, il n'y a aucun problème, dit-il. Je voulais juste m'assurer que vous n'avez rien à nous reprocher. Il est assez inhabituel que quelqu'un retire tant d'argent en liquide. Normalement, nos clients préfèrent un chèque.

Ça m'a semblé plus commode, hasarda ma mère. Mains dans les poches de sa veste. Tous ces papiers qu'il faut remplir de nos jours, pour s'identifier. C'est une telle perte de temps.

Bien, bien, dit le directeur à Muriel. Ne faisons pas attendre nos amis.

Il griffonna quelque chose sur un bout de papier. Muriel ouvrit un tiroir et commença à compter les billets. Les coupures de cent dollars étaient rangées en petites liasses de dix. Elle compta les liasses, sous le regard fixe de ma mère.

Le travail terminé, Muriel demanda dans quoi nous allions mettre tous ces billets. Nous n'avions pas pensé à cette partie de l'opération.

J'ai ce qu'il faut dans la voiture, dit ma mère. Elle revint avec le sac de nourriture pour hamster que j'avais placé dans le coffre la nuit dernière. Avant d'y ranger les billets, elle vida les graines dans le récipient posé à côté de la tablette sur laquelle les gens remplissaient leurs formulaires de dépôt et de retrait.

Muriel eut l'air sidéré. Je pourrais vous donner quelques-unes de nos petites sacoches à fermeture Éclair. Qu'en pensez-vous ?

Ma solution est meilleure, dit ma mère. Si un type voulait nous braquer, il ne devinerait jamais que l'argent est avec la nourriture pour animaux.

Heureusement, nous n'avons pas beaucoup de criminels dans les parages, n'est-ce pas, Adele ?

C'est probablement un truc qu'on leur enseignait dans les écoles de caissier de banque : appeler les gens par leur prénom quand on traite des affaires avec eux.

Sauf le type qui s'est échappé la semaine dernière, ajouta-t-elle. Incroyable qu'ils l'aient pas encore attrapé, non ? Si vous voulez mon avis, il y a belle lurette qu'il a filé.

Nous sommes rentrés. Le signal rouge du répondeur téléphonique indiquait un message.

Je n'ai pas pris l'appel, bien sûr, mais j'ai entendu le message, dit Frank. Le père de Henry a appris que tu pars et que tu l'emmènes. Il dit qu'il rapplique. Nous ferions mieux de filer.

J'ai couru au premier. J'avais eu l'intention de parcourir les pièces lentement, une dernière fois, c'était trop tard. Mon père devait être en route.

Henry, me cria ma mère. Descends. Nous partons.

J'ai regardé par la fenêtre, la rue, les toits des maisons. *Adieu, les arbres. Adieu, jardin.*

Henry, descends tout de suite.

Obéis à ta mère, mon garçon.

Alors, nous avons entendu hurler une sirène. Puis une autre. Le bruit de roues de voitures virant à toute allure. Dans notre rue.

J'ai descendu l'escalier sans me presser. Personne désormais n'irait nulle part. Je le savais. Au-dessus de nous, le bourdonnement d'un hélicoptère.

Jusqu'à ce jour – à l'exception de mon aventure avec Eleanor – la vie m'avait paru se dérouler trop lentement, et voilà que soudain les choses se passaient comme dans un film, sauf que quelqu'un le faisait défiler en accéléré, si bien qu'on avait du mal à suivre l'action. Ma mère, elle, ne suivait pas.

Médusée, debout dans le living à peu près vide, serrant

contre sa poitrine le sac d'aliments pour hamster. Frank, à côté d'elle, semblait prêt à faire face au peloton d'exécution. Il la tenait par la main.

Ça va aller, Adele. N'aie pas peur.

Je ne comprends pas. Comment nous ont-ils découverts ?

Mon cœur explosait. J'ai juste écrit à papa pour qu'il sache qu'on partait, ai-je dit. Je n'ai absolument pas parlé de Frank. Je pensais pas qu'il lirait la lettre si tôt. En général, il n'ouvre jamais son courrier avant le dîner.

Dehors, des crissements de freins. L'une des voitures s'était arrêtée sur notre pelouse, à l'endroit où ma mère avait essayé de semer un carré de fleurs sauvages, qui n'avaient jamais poussé. Deux de nos voisins qui ne travaillaient pas – Mrs Jervis, Mr Temple – étaient sortis sur leur perron.

Une voix dans un mégaphone. *Frank Chambers. Nous savons que vous êtes là. Sortez les mains en l'air et on ne vous fera pas de mal.*

Il se tenait face à la porte, droit comme un piquet. Sans le muscle de son cou que j'avais remarqué le jour de notre rencontre, et qui tressautait légèrement, on aurait pu le prendre pour une de ces personnes qu'on voit parfois dans les parcs, déguisées et figées comme une statue, et à qui on jette des pièces. Cette immobilité-là. Seuls ses yeux bougeaient.

Ma mère l'entourait de ses bras, elle lui touchait le cou, la poitrine, les cheveux. Ses doigts lui palpaient le visage comme s'il avait été en argile et qu'elle veuille le sculpter. Les lèvres, les paupières. Je ne les laisserai pas t'emmener, disait-elle. Chuchotait-elle.

Écoute-moi, Adele. Je veux que tu fasses tout ce que je vais dire. Nous n'avons pas le temps d'en discuter.

Il y avait un bout de corde sur le comptoir de la cuisine, reste de celle qu'ils avaient utilisée pour ficeler les paquets, ces choses qui devaient nous servir dans notre nouvelle vie au Canada, et, dans un tiroir, le couteau pour la couper.

Assieds-toi sur cette chaise, ordonna-t-il. Sa voix avait changé, on la reconnaissait à peine. Mets les mains derrière ton dos. Les pieds posés à plat devant. Toi aussi, Henry.

Il commença par entourer le poignet droit. Elle tremblait, elle pleurait, mais il ne regardait pas son visage. Il se concentrait uniquement sur le nœud. Quand il l'eut formé, d'un coup rapide et sec il serra, au point qu'on voyait se tendre la peau de la main. En toute autre circonstance, il aurait frotté l'endroit où il lui aurait fait mal, mais il sembla ne pas s'en apercevoir ou, en tout cas, ne pas s'en soucier.

Il passa à l'autre main, puis aux pieds. Pour les attacher correctement, il dut lui enlever ses chaussures. Révéler les ongles au vernis rouge, l'endroit sur la cheville que je lui avais vu embrasser une fois.

On entendait brailler la radio de la police, et les hommes parler dans leurs talkies-walkies. L'hélicoptère tournait juste au-dessus de nous. *Trois minutes*, disait la voix dans le mégaphone. *Sortez les mains en l'air.*

Assieds-toi, Henry, dit Frank.

Sur un ton tel que vous n'auriez jamais cru qu'on avait fait des lancers de balles ensemble. Que c'était le même homme qui, assis sur le perron à côté de moi un jour, m'avait appris un tour de cartes. Maintenant il enroulait la corde autour de ma poitrine. Pas le temps de fignoler. Il serra brutalement, ce qui me coupa le souffle. Pourtant il ne s'agissait que d'un seul nœud, il n'avait eu le temps que pour un seul nœud. Cela serait révélé plus tard, quand un journaliste soulèverait la question, que nous savions inévitable, de la complicité éventuelle de ma mère. Considérez la faiblesse des contraintes qu'il a exercées contre le garçon, remarqua quelqu'un. Et le fait que lorsque la mère et le fils se sont rendus à la banque – victimes ou décideurs? – Frank ne les accompagnait même pas.

Elle a sorti l'argent de sa propre initiative, dirent-ils également. N'est-ce pas la preuve qu'elle était dans le coup?

Mais il l'avait attachée. C'était indéniable. Et moi aussi, d'une certaine façon.


D'autres véhicules déboulaient dans notre rue. Et de nouveau la voix dans le mégaphone. *Nous voulons éviter les gaz lacrymo. C'est votre dernière chance de sortir calmement, Chambers.* À cet instant, Frank s'apprêtait à ouvrir la porte. Il ne se retourna pas.

Les mains sur la tête, comme on le lui ordonnait, boitillant toujours un peu, il descendit posément, délibérément vers les policiers qui l'attendaient sur la pelouse pour lui passer les menottes.

Nous n'avons pas vu ce qui s'est passé ensuite, mais deux gradés, un homme et une femme, ont fait irruption et nous ont détachés. La femme a donné un verre d'eau à ma mère et lui a dit qu'on allait l'emmener en ambulance. Elle était probablement en état de choc, même si elle ne s'en rendait pas compte.

N'aie pas peur, mon garçon, m'a dit un autre. Ta maman va bien. Maintenant que nous avons arrêté le type, il ne pourra plus rien vous faire à toi et à ta maman.

Elle restait assise sur sa chaise, muette. Toujours déchaussée. Elle se frottait les poignets, comme si la corde lui manquait. C'est à cela que menait la liberté?

Il pleuvait encore, moins fort, juste un crachin. De l'autre côté de la rue, Mrs Jervis prenait des photos, et Mr Temple se faisait interviewer par un journaliste. L'hélicoptère s'était posé sur le terrain plat, dans notre jardin à l'arrière de la maison, là où Frank et moi nous étions exercés au lancer de balles en discutant des Rouges de Rhode Island, là où Joe le hamster était enterré.

Je savais qu'il se passait quelque chose, disait Mr Jervis. Quand je lui ai apporté des pêches l'autre jour, il m'a semblé qu'elle essayait de me dire quelque chose en code. Mais je suppose qu'il la lâchait pas des yeux.

Un minivan marron s'est amené. Mon père. Il a couru vers moi. Bon sang, qu'est-ce qu'il se passe ici? a-t-il demandé à l'un des policiers. Je pensais juste que mon ex-femme avait déraillé. Je ne m'attendais pas à vous trouver tous ici, les gars.

Quelqu'un nous a tuyautés.

Maintenant, ils faisaient monter Frank à l'arrière d'une de leurs voitures. Il avait les mains derrière le dos et la tête baissée, essayant probablement d'éviter les caméras. Juste avant de disparaître à l'intérieur, il a levé les yeux vers ma mère.

Je crois que personne ne l'a vu, sauf moi. Sans qu'un son en sortît, sa bouche articulait un mot. *Adele.*

# 21

Il fut accusé de kidnapping. Cette fois-ci, dirent les autorités, on allait le boucler et on jetterait la clé.

Quand elle apprit la nouvelle, ma mère – cette femme qui ne sortait à peu près plus jamais de chez elle – prit sa voiture et courut à la capitale voir le procureur, en m'emmenant comme témoin. Elle tenait à lui faire comprendre, lui dit-elle, qu'il n'était pas question dans cette affaire de séquestration. Elle avait librement accueilli Frank chez nous. Il s'était montré bon pour son fils. Il prenait soin d'elle. Ils étaient sur le point de se marier, quelque part dans les Provinces maritimes. Ils s'aimaient.

Récemment élu, le procureur, un dur, soutenait la guerre que menait le gouverneur contre la criminalité. Nous devrons, répondit-il, nous demander pour quelle raison votre fils n'a jamais signalé ce qui se passait chez lui. On tiendrait compte de mon âge, mais il était possible – improbable mais possible – qu'on m'accuse de complicité de crime. Ce ne serait pas la première fois qu'un adolescent de treize ans passerait quelque temps en détention, un an, voire deux, au maximum.

Pour ma mère, en revanche, on pouvait envisager une sentence plus sévère. Hébergement de fugitif, contribution à la délinquance d'un mineur. Naturellement, on lui retirerait ma garde. Ils étaient déjà en train d'en parler avec mon père. Apparemment, certains incidents précédents permettaient de s'interroger sur ses facultés de discernement.

Pour une fois, elle se tut durant le trajet du retour. Ce soir-là nous avons mangé notre soupe en silence, dans deux bols sortis du coffre de la voiture. Le même processus s'est répété pendant plusieurs jours, quand nous avions besoin d'un objet – tasse, assiette ou serviette. Va le chercher dans la voiture.

À l'école, je suis entré en quatrième, jouissant d'une célébrité inattendue qui s'est convertie en une sorte de popularité. Est-ce que c'est vrai, me demanda un garçon après le cours de gym – alors que nous sortions de la douche, nus et dégoulinants – qu'il t'a torturé ? Est-ce que ta mère était son esclave sexuelle ?

Auprès des filles, mes récentes aventures semblèrent se convertir en quelque chose ressemblant à du sex-appeal. Rachel McCann – principal objet de mes fantasmes pendant des années – m'a coincé un jour devant mon casier alors que je rassemblais mes livres en vue d'un rapide retour chez moi.

Je voulais juste que tu saches que je te trouve incroyablement courageux, dit-elle. Si jamais tu as envie d'en parler, n'hésite pas, je suis là.

Ce fut l'une des nombreuses et regrettables conséquences de cet étrange week-end que, juste au moment
où j'attirais enfin l'attention d'une fille dont je rêvais
depuis cinq ans, je ne désirais qu'une chose : qu'on me
fiche la paix. Je comprenais, pour la première fois, la
décision qu'avait prise jadis ma mère de ne plus bouger
de chez elle. Sauf que, pour moi, le choix ne se posait
pas.

À peu près à la même époque, elle a annulé son abonnement au quotidien local. J'ai suivi le procès en lisant le
journal à la bibliothèque. À supposer qu'elle eût vraiment compris pourquoi aucune charge ne fut retenue
contre elle, pourquoi elle ne fut pas inculpée, elle n'en
parla pas et je me gardai d'aborder le sujet. Pour peu que
le procureur eût décidé de camper sur ses positions, il
n'aurait pas été difficile d'obtenir le témoignage d'Evelyn
(personne n'imaginant que Barry pouvait avoir quelque
chose à offrir) d'où il serait ressorti que durant les six
jours en question, ma mère n'avait jamais semblé être
l'objet d'une contrainte, ni faire quoi que ce soit – à l'exception, peut-être, de s'être occupée du fils d'Evelyn –
qui lui répugnait.

Moi j'ai compris, malgré mes treize ans. Frank avait
passé un marché. Confession totale. Renoncement au
procès. En échange de l'assurance que les juges laisseraient
ma mère et moi en dehors de tout cela. Ils ont tenu
parole.

Frank a écopé de dix ans pour évasion, et quinze ans pour tentative de kidnapping. Et dire, a commenté le procureur, que cet homme devait être libéré sur parole dix-huit mois plus tard. Mais il s'agit d'un criminel violent. D'un individu incapable de contrôler son esprit dérangé.

Je ne regrette rien, écrivit Frank à ma mère dans la seule lettre qu'elle reçut de lui après la sentence. Si je n'avais pas sauté par cette fenêtre, je ne t'aurais jamais connue.

En raison de son évasion, Frank fut déclaré prisonnier à haut risque, nécessitant la détention dans un établissement disposant de moyens de sécurité maximum, catégorie qui n'existait pas dans notre État. Il fut détenu brièvement dans un pénitencier du nord de l'État de New York, où ma mère essaya une fois d'aller le voir. Elle prit sa voiture, mais, à l'arrivée, après tout ce long trajet, on lui déclara qu'il était à l'isolement. Ensuite, il fut transféré quelque part dans l'Idaho.

Après cela, pendant quelque temps, les mains de ma mère ont tremblé si fort qu'elle ne pouvait même pas s'ouvrir une boîte de soupe Campbell. Elle a d'elle-même demandé qu'on me confie à la garde de mon père. Juste avant qu'il vienne me chercher pour m'emmener dans la maison où j'allais vivre avec lui, Marjorie et les minets, j'ai dit à ma mère que ça, je ne le lui pardonnerais jamais, mais j'ai pardonné. Elle aurait pu me faire remarquer que j'avais commis des actes bien plus graves, mais elle me les a pardonnés.

Donc je suis allé vivre dans la maison de mon père et de Marjorie. Comme je l'avais prévu, ils ont acheté des lits superposés, afin que Richard et moi puissions partager plus facilement sa petite chambre. Il a pris celui du bas.

La nuit, allongé sur ma couchette supérieure, je ne me touchais plus. Le plaisir que j'avais éprouvé, cette sensation mystérieuse, était synonyme désormais de crève-cœur : murmures et baisers dans le noir, lents et profonds soupirs, cri animal que j'avais brièvement cru l'expression d'une douleur. Le gémissement de Frank, sauvage et joyeux, comme si la terre elle-même s'ouvrait, libérant un flot de lumière qui oblitérait tout le reste.

Au début, il y avait eu des corps touchant d'autres corps, des mains parcourant la peau. Alors, je gardais les miennes immobiles et, le souffle régulier, je contemplais au plafond le visage d'Albert Einstein, tirant la langue. Peut-être l'homme le plus intelligent qui ait jamais vécu. Lui devait savoir que tout ce tintouin n'était qu'une grosse plaisanterie.

Le seul bruit provenant désormais de derrière le mur se produisait vers cinq heures et demie du matin, le baragouin de ma petite sœur, Chloe (car c'est bien ce qu'elle était, je l'admettais maintenant : ma sœur) – annonçant au monde qu'un nouveau jour commençait. Viens me chercher, criait-elle succinctement. Et je finissais par obtempérer.

Marjorie, elle, faisait de son mieux. Ce n'était pas sa faute si je n'étais pas son fils. J'incarnais l'anormalité dans la vie parfaitement normale qu'elle avait conçue avec mon père pour eux-mêmes et ses deux enfants. Elle ne m'aimait pas beaucoup, et je ne l'aimais pas davantage. On était quittes.

Avec Richard, les choses se passaient mieux qu'on aurait pu s'y attendre. Au-delà de nos différences – moi préférant vivre dans le monde de Narnia, et lui jouer pour les Red Sox – nous avions un point commun. Un parent habitant loin de cette maison – quelqu'un dont le sang coulait dans nos veines. J'ignorais la véritable histoire de son père, mais à treize ans on n'est pas trop jeune pour comprendre que le chagrin et les regrets se manifestent sous de nombreuses formes.

À coup sûr, le père de Richard, comme ma mère, avait tenu son bébé dans ses bras, regardé au fond des yeux la mère de son fils et cru qu'ils construiraient un avenir ensemble, et avec amour. Le poids de leur échec, nous le portions tous les deux, comme chaque enfant, probablement, dont les parents ne vivent plus sous le même toit. Où que soit votre foyer, existent toujours l'autre endroit, l'autre personne qui vous appellent. Viens. Reviens.

Durant les premières semaines qui ont suivi mon installation dans notre ancienne maison, j'ai eu le sentiment que mon père ne savait pas quoi me dire, alors, la plupart du temps, il se taisait. Il avait rempli des papiers, le tribunal avait émis des avis concernant la façon contestable dont ma mère s'acquittait de ses devoirs parentaux – comme prouvé par les récents événements – mais, il faut en créditer mon père, il ne m'en a jamais dit un mot. De toute façon, les journaux s'en étaient chargés.

Un jour – à peu près à l'époque où j'ai décidé de ne choisir ni le baseball ni le football – mon père suggéra une randonnée à bicyclette, seuls lui et moi. Dans certains foyers – je n'ose pas dire *familles*, parce que je ne considérais pas que nous en formions une – cela n'aurait rien eu de si exceptionnel, sauf que, jusqu'à présent, il avait semblé nier l'existence de toute activité physique que ne sanctionnaient pas un score et des trophées, qui ne connaissait ni gagnants ni perdants.

Quand je lui rappelai que cela faisait près de deux ans que j'avais remisé mon vélo, il jugea qu'il était temps de m'en acheter un neuf – un vélo de montagne, à vingt et une vitesses. Et un pour lui. Le week-end suivant, nous avons mis les vélos dans le minivan et pris la route du Vermont – c'était l'époque de l'année, l'automne, où le feuillage est superbe –, nous avons traversé un paquet de villes et logé dans un motel aux abords de Saxtons River. L'un des avantages de la bicyclette : on parle peu en pédalant. Surtout en grimpant les collines du Vermont.

Le soir, nous sommes allés dîner dans un de ces restos à côtes de bœuf spéciales. Pendant la majeure partie du repas, nous sommes restés silencieux. Mais quand la serveuse lui a apporté son café, mon père a changé. Bizarrement, il s'est mis à ressembler à Frank, le jour de son arrestation, quand il entendait les voitures de police approcher, l'hélicoptère tourner au-dessus de nos têtes, les mégaphones brailler. Un homme qui savait que le temps lui était compté, que c'était maintenant ou jamais. Alors, comme Frank, mon père s'est rendu.

C'est-à-dire qu'il a abordé le sujet qu'il avait évité jusqu'à maintenant : ma mère. Non la partie concernant son refus de prendre un vrai boulot, ou la qualité de son équilibre mental, peut-être parce que, vu les événements récents, la question ne se posait plus : l'équilibre était mauvais. C'est des premiers temps de leur vie commune qu'il m'a parlé.

Tu sais, elle était géniale. Drôle. Belle. On n'avait jamais vu quelqu'un danser comme elle, au nord de Broadway.

Moi, je mangeais mon gâteau de riz, uniquement les grains de raisin, en réalité. Je ne le regardais pas, mais je l'écoutais.

Le voyage que nous avons fait en Californie, ça a été une des meilleures périodes de ma vie. On n'avait pas d'argent, on dormait la plupart du temps dans la voiture. Un jour, pourtant, je me rappelle, nous avons traversé une ville dans le Nebraska, il y avait un motel, une chambre avec une kitchenette, et on s'est fait des spaghettis sur la plaque chauffante. La vérité, c'est qu'on ne savait rien de Hollywood. Nous étions des petits provinciaux. Mais, à l'époque où elle avait travaillé dans un restaurant, elle avait un jour servi une femme qui se produisait avec les danseurs de la troupe June Taylor au Jackie Gleason, qui lui avait noté son numéro de téléphone et lui avait dit de l'appeler si jamais elle passait par L.A. C'est ce que nous allions faire. Seulement, quand on a appelé, c'est son fils qui a répondu. Sa mère était dans une maison de retraite. Pour vieillards séniles. Tu sais ce qu'a décidé ta mère ? Nous sommes allés la voir. En apportant des petits gâteaux.

À ce moment de son récit, je l'ai regardé. Je lui ai découvert un autre visage. J'avais toujours pensé que je n'avais rien de lui – je m'étais même demandé une fois (en réalité, le sujet avait été soulevé par Eleanor) s'il était bien mon père, tant nous étions différents. Le mari le plus improbable pour quelqu'un comme ma mère. Mais à l'examiner à travers la table, pâle, un peu trop gros, les cheveux qui se clairsemaient, dans sa chemise neuve de cycliste en Lycra qu'il ne remettrait probablement plus jamais, je lui ai trouvé quelque chose de familier. Je pouvais l'imaginer jeune. Ce type jeune que ma mère me décrivait, qui savait exactement quelle pression exercer sur le dos de sa partenaire quand il la faisait tourner sur la piste de danse, le jeune homme givré en qui elle avait confiance, sûre qu'il l'empêcherait de tomber quand elle exécutait son saut périlleux, trois cent soixante degrés, dans sa petite culotte rouge. En vérité, je me reconnaissais dans son visage. Il ne pleurait pas, mais avait les yeux humides.

C'est la perte de tous ces bébés qui l'a complètement chamboulée, me dit-il. Surtout le dernier. Elle ne s'en est jamais remise.

J'avais arrêté de manger mon gâteau. Mon père n'avait pas touché à son café.

Un type meilleur que moi serait resté pour l'aider à

traverser tout ça, ajouta-t-il. Moi je n'ai pas su faire face. Une telle tristesse. Je voulais une vie normale. J'ai calé, littéralement.

Ensuite, Marjorie et moi, nous avons eu Chloe. Ça n'effaçait pas ce qui s'était passé avant, mais ça me permettait plus facilement de ne pas y penser. Alors que pour ta mère, rien ne s'est effacé.

Là-dessus, il s'est tu, le sujet était clos. Il a payé la note et nous sommes rentrés au motel. Le lendemain matin nous avons refait un peu de vélo, mais je me suis rendu compte à quel point c'était anormal pour mon père de grimper les pentes du Vermont autrement que dans un minivan. Au bout de deux heures, j'ai suggéré de considérer que nous avions accompli une journée complète, il n'a pas discuté. J'ai dormi pendant presque tout le trajet du retour.

L'essentiel de la quatrième, je l'ai passé en habitant chez mon père. L'avantage : ils n'avaient plus de raison, lui et Marjorie, de maintenir l'abominable tradition des dîners du samedi soir chez Friendly. À la maison, au moins, il y avait la télé.

On aurait pu penser que ma mère aurait bataillé ferme pour que je vienne la voir fréquemment, ce fut tout l'opposé, pendant un temps. Elle semblait ne pas souhaiter mes visites, et quand je venais à vélo (pour livrer des provisions, des livres de la bibliothèque, et moi-même) elle se montrait affairée et distraite.

Elle avait des coups de fil à passer, disait-elle. Ses clients pour les vitamines. Des tas de corvées ménagères. Elle ne précisait pas en quoi consistaient ces corvées dans une maison sans meubles à épousseter ni tapis à aspirer, où l'on ne faisait jamais la cuisine, et qui n'accueillait jamais de visiteurs.

Elle lisait beaucoup, affirmait-elle, et c'était vrai. Les livres s'empilaient au même endroit que jadis les boîtes de soupe Campbell. Sur des sujets improbables : la sylviculture et l'agronomie, l'élevage des poules, les fleurs sauvages, l'art des plates-bandes, alors que notre jardin était aussi nu qu'avant. Son ouvrage apparemment favori, que je voyais sur la table de la cuisine à chacune de mes visites, écrit par un couple, Helen et Scott Nearing, et publié dans les années cinquante, s'intitulait *Mener la bonne vie* – ils racontaient leurs expériences, comment ils avaient quitté leurs jobs et leur maison quelque part dans le Connecticut pour s'installer à la campagne dans le Maine, où ils avaient vécu de leurs plantations, sans électricité ni téléphone. Sur les photos illustrant le livre, on voyait toujours Scott Nearing, en salopette et jean déformé – un homme d'à peine la quarantaine, courbé sur sa binette ; sa femme, en jupe écossaise, binant à ses côtés.

Ces deux-là, disait ma mère, ils n'avaient rien d'autre qu'eux-mêmes. Ça leur suffisait.

Peut-être est-ce un vague sentiment de culpabilité – l'idée que ma mère avait besoin de moi et pas mon père – qui m'a fait prendre ma décision, en vérité, je crois que c'est moi qui avais besoin d'elle. Nos conversations du dîner me manquaient, et sa façon de toujours s'adresser à moi comme à quelqu'un de son âge – contrairement à Marjorie, qui changeait de registre vocal pour s'adresser à tout individu en dessous de vingt et un ans. À quelques exceptions près – l'occasionnel démarcheur de porte à porte, ses clients de MégaVites et le livreur de fuel – elle ne parlait qu'avec moi.

Au printemps, quand j'ai dit à mon père que je voulais retourner vivre chez ma mère, il n'a pas cherché à discuter. Le lendemain, je déménageais.

J'ai essayé de me faire engager dans l'équipe de base-ball. On m'a placé en défense droite. Un jour que nous jouions contre l'équipe de Richard, j'ai renvoyé une de ses longues chandelles. Chaque fois que j'étais batteur, je me disais *regarde la balle*, si doucement que même le receveur ne pouvait pas l'entendre. Eh bien, souvent, plus souvent que vous ne l'imaginez, ça marchait.

Tout le temps de mes études secondaires, ma mère et moi avons vécu dans une maison quasiment vide. Il restait quelques petites pièces de mobilier, que nous n'avions pas eu l'intention d'emporter dans notre exode, et des caisses que nous avions chargées dans la voiture, destinées à notre vie là-haut, dans le Nord, nous n'avons rien sorti, sauf la cafetière et quelques vêtements. Pas un seul article de la garde-robe de danseuse de ma mère – ses chaussures et ses foulards étonnants, ses éventails –, même pas le lecteur de cassettes. Plus tard, quand j'ai commencé à gagner un peu d'argent, je me suis acheté un walkman.

Les voix de Frank Sinatra, Joni Mitchell et (désormais je connaissais son nom) Leonard Cohen n'ont plus jamais résonné dans la maison. Il n'y a plus jamais eu de musique. Ni musique, ni danse.

Un jour, nous avons fait une virée chez Goodwill, où elle a acheté juste ce qu'il nous fallait comme assiettes, fourchettes et tasses, encore que, quand vous mangez essentiellement des surgelés et des soupes, la vaisselle ne vous manque pas vraiment. En seconde, pourtant, je me suis inscrit en cours d'économie domestique – c'était accessible aux garçons, depuis peu. J'ai découvert que j'aimais cuisiner et que, bizarrement, vu la nullité de ma mère en la matière, je me débrouillais bien. L'une de mes spécialités, non apprise en cours, était la tarte.

Durant toutes ces années, les dîners du samedi ont continué, mais transférés, quand j'ai commencé à m'émanciper et à sortir, un soir de semaine, et, probablement au soulagement de chacun, sans Marjorie. Je m'entendais pas mal avec Richard, et j'avais fini par aimer me balader, à l'occasion, avec ma petite sœur Chloe, mais pour ces dîners au restaurant, il y avait essentiellement mon père et moi, et, à ma suggestion, nous avons échangé Friendly's contre un endroit un peu à l'extérieur de la ville nommé Acropolis qui servait de la cuisine grecque, très bonne, et un jour que Marjorie était partie voir sa sœur, je suis allé chez eux et je leur ai fait un plat dont j'avais noté la recette dans un magazine, un poulet au marsala.

Un soir, tout en mangeant une *spanakopita* à l'Acropolis – et sous l'influence de deux verres de vin rouge –, mon père attaqua le sujet sexualité, qu'il n'avait plus abordé depuis ses premières tentatives de m'enseigner les réalités de la vie.

On ne parle que de passion, folle, sauvage. En tout cas dans les chansons. Ta mère était comme ça. Elle était amoureuse de l'amour. Elle ne pouvait rien faire à moitié. Elle ressentait tout si profondément qu'elle n'arrivait pas à suivre, le monde la dépassait. Chaque histoire qu'on lui racontait – un enfant atteint d'un cancer, un vieil homme qui venait de perdre sa femme, ou son chien, elle la prenait pour elle. Comme s'il lui manquait la couche externe de l'épiderme qui permet aux gens d'agir sans saigner au moindre choc. Oui, le monde la dépassait.

Moi, je suis plutôt du genre engourdi, ajouta-t-il. Même si je loupe des trucs. Tant pis.

Un jour, je rentrais de la bibliothèque – j'y ai beaucoup traîné pendant les mois où j'ai habité chez mon père et Marjorie. C'était un week-end férié – le Columbus Day, peut-être, ou plus vraisemblablement le Veterans Day. Je me souviens que les arbres étaient dénudés et qu'il faisait nuit tôt, si bien que, à l'heure où je rentrais, tout le quartier était illuminé. Que je sois à vélo, ou à pied, comme ce soir-là, je voyais par les fenêtres les gens vaquer chez eux. L'impression de traverser un musée avec des rangées de Dioramas brillamment éclairés, intitulés *Comment vivent les gens* ou *Familles d'Amérique*. Une femme hachant des légumes à côté de l'évier. Un homme lisant son journal. Deux enfants dans leur chambre à l'étage jouant au Twister. Une fille allongée sur son lit, parlant au téléphone.

J'avais repéré particulièrement un appartement, dans ce qui avait dû être une vieille maison vendue en copropriété. La famille qui y vivait semblait dîner chaque jour exactement à la même heure, précisément celle où je passais. Par ce qu'il faudrait bien qualifier de superstition, j'étais convaincu que, si je les voyais tous les trois – le père, la mère et le petit garçon – réunis autour de la table, rien de grave ne pouvait arriver ce soir-là. En tout cas à la personne pour qui je m'inquiétais, c'est-à-dire ma mère. Qui devait être en cet instant même assise seule à sa table. Avec son verre de vin, et son livre sur la *Bonne vie*.

Le fait est que la famille en question semblait si heureuse, si harmonieuse. De toutes celles figurant en Diorama de mon musée imaginaire, c'était chez elle que j'aurais voulu rentrer le soir. Évidemment, on n'entendait pas ce que ces gens se disaient, mais ce n'était pas utile pour savoir que tout allait bien dans cette cuisine. Une conversation sûrement pas fracassante (*Comment s'est passée ta journée, chéri ? Bien, et la tienne ?*), mais quelque chose dans le tableau – la douce lumière jaune, les hochements de tête, la façon qu'avait la femme de toucher le bras du mari, leurs rires quand le petit garçon brandissait sa cuiller – donnait l'impression qu'ils n'auraient pour rien au monde souhaité être ailleurs, ou avec quelqu'un d'autre qu'eux-mêmes.

Je suppose que, planté là à les regarder, j'avais oublié où je me trouvais. La nuit était froide – assez froide pour

que je voie s'évaporer mon haleine et fumer celle de la personne qui descendait les marches de l'immeuble, tenant
en laisse un chien minuscule, si minuscule qu'on aurait pu
le prendre pour un plumeau. Encore plus petit que le plus
petit des caniches.

Avant même d'avoir reconnu son visage, j'ai su que je
connaissais cette personne. Des jambes maigres sous un
manteau noir démesuré, et des bottes à hauts talons, ce
qui ne se faisait pas habituellement dans notre ville. En
réalité, jamais.

Il était manifeste qu'elle n'avait pas souvent sorti ce
chien avant ce soir, ou alors qu'il s'agissait d'un toutou
d'une rare stupidité. Il s'empêtrait dans sa laisse, qu'il
enroulait autour des jambes de sa maîtresse, n'arrêtait pas
de sauter et de courir à droite, à gauche – tirant désespérément sur la laisse, pour la seconde d'après s'asseoir et ne
plus bouger.

Au pied, Jim, dit la voix.

Avec autant d'effet que si j'avais dit à ma mère : *Tu
devrais sortir davantage. Te faire de nouveaux amis. Partir
en voyage.* Sinon que le toutou devint encore plus fou. Il
devait lui avoir mordu la jambe, parce qu'elle semblait
avoir lâché la laisse, en tout cas perdu le contrôle de l'animal, qui maintenant dévalait du trottoir – *Jim? Qui peut
bien baptiser son chien Jim?* – droit en direction d'un
camion qui fonçait sur lui.

J'ai plongé pour l'attraper. Et, je ne sais comment, j'ai
réussi. La personne aux jambes maigres accourut, traînant
un immense sac et tanguant sur ses hauts talons, perdant
ce faisant son chapeau – un couvre-chef à large bord avec

une sorte de plume jaillissant au sommet – ce qui permettait de voir son visage. C'est alors que j'ai compris qu'il s'agissait d'Eleanor.

Durant les semaines qui avaient suivi les événements du Labor Day, alors que je me débattais au milieu d'un fantastique tourbillon, j'avais été incapable de réfléchir. Quand je piquais une colère, c'était toujours contre moi. Ces crises n'avaient pas disparu, mais au bout de quelque temps, elles avaient trouvé une autre cible : Eleanor.

Et voilà qu'elle se dressait devant moi. Je ne l'avais pas revue depuis le jour où elle m'avait sauté dessus, après notre rendez-vous au café. À la rentrée d'automne, elle ne s'était pas inscrite dans mon collège et, comme personne ne la connaissait, je ne pouvais pas demander de ses nouvelles, même si je l'avais voulu. J'ai imaginé qu'elle était retournée à Chicago, où elle allait pouvoir semer le trouble tout à son aise, et trouver quelqu'un d'autre avec qui faire l'amour. De notre brève relation, il ressortait que ne pas rester vierge dix minutes de plus était l'un de ses principaux objectifs.


Elle aurait pu faire semblant de ne pas me voir – se baisser pour ramasser son chapeau et s'éloigner –, sauf que j'avais son chien. Je le tenais serré contre moi et, même à travers le tissu de ma veste, je sentais battre son cœur, comme autrefois celui de Joe le hamster.

C'est mon chien, dit-elle, tendant la main pour le prendre, comme un client attendant sa monnaie.

Je le retiens en otage. La réplique a fusé, me surprenant moi-même.

De quoi tu parles ? Il est à moi.

Tu as dénoncé Frank à la police. Brusquement, je comprenais, l'évidence me sautait aux yeux. Tu as ravagé la vie de deux personnes.

Je veux mon chien, répéta-t-elle.

Ah ouais ! J'étais parti : à moi *Magnum P.I.* ou n'importe quel héros de série policière. Et tu l'estimes à combien ?

Si tu veux savoir, Jim est un shi tzu pure race. Il a coûté quatre cent vingt-cinq dollars, sans compter les vaccins. Mais c'est pas ça l'essentiel. Il m'appartient. Rends-le-moi.

Jusqu'à cet instant, quand je pensais au comportement d'Eleanor, ce qui me revenait surtout c'était sa fureur contre moi, parce que je ne lui avais pas fait l'amour la fois où elle avait enlevé sa petite culotte. J'étais suffisamment idiot pour négliger l'histoire de la récompense. À présent, en l'entendant mentionner le prix du toutou, que je venais d'empêcher de se faire écraser, ça me revenait.

Je suppose qu'une personne qui a touché dix mille dollars pour avoir balancé la mère d'un copain peut en dépenser quelques centaines pour se payer une boule de fourrure, ai-je dit.

C'est un cadeau de mon père. Il s'occupe de Jim quand je suis là-bas, à l'école.

Donc, tu as fini par entrer dans ton collège chic.

Je tenais toujours le toutou au petit ventre rond dans mes mains. Banco, je pigeais maintenant pourquoi il s'appelait Jim. Peut-être qu'il a essayé de se zigouiller, pour justifier son nom, ai-je dit. Quand tu es en manque d'héro, se faire écrabouiller par un camion est peut-être suffisant.

Tu es vraiment taré, dit-elle. Pas étonnant que tu n'aies pas d'amis.

Je suppose que tu t'en fiches, mais l'homme que les flics ont arrêté était la personne la meilleure que j'aie jamais connue.

Déclaration purement provocatrice, mais dont j'ai compris l'exactitude au moment même où je la faisais. Rien que de m'entendre prononcer ces mots, il m'est arrivé ce que je détestais le plus. Je me suis mis à pleurer.

C'était évidemment le moment pour elle de me resservir son vieux refrain – tu n'es qu'un raté. Elle allait bien entendu récupérer son chien. Je n'étais pas du genre qu'on appelle intimidant.

Elle n'a pas bougé. Elle est restée là, sur ses talons hauts, tenant son chapeau ridicule et son sac surdimensionné qu'on aurait cru sorti d'une malle d'accessoires de théâtre. Peut-être plus maigre que jamais – difficile à dire, avec son manteau. Elle avait de grands cernes sous les yeux, une sorte de pincement des lèvres. Impossible de croire qu'elle avait jamais fait l'amour, avec qui que ce soit. On avait l'impression que, rien qu'en la touchant, on allait la briser.

Je ne savais pas, dit-elle. Je voulais simplement qu'il se passe quelque chose.

Elle pleurait aussi.

Eh bien, tu as réussi.

Je lui ai rendu le chien. Qui avait commencé à me lécher la main. J'ai pensé qu'il aurait préféré rester avec moi. Même un chien devait savoir – un chien peut-être plus que quiconque – qu'Eleanor n'était pas le genre de personne avec qui vous avez envie de traîner sauf en cas d'absolue nécessité.

Je l'ai revue quelques années plus tard, à une soirée donnée par un type de ma classe, qui jouait dans la troupe de théâtre du lycée. Elle portait une sorte d'amulette en argent autour du cou, contenant de la cocaïne qu'elle saupoudrait sur un miroir et sniffait, d'autres en faisaient autant, pas moi. Elle était toujours maigre, mais d'une maigreur différente. Les yeux n'avaient pas changé, qui semblaient ne contenir que du blanc. Elle fit semblant de ne pas me reconnaître. Je savais que c'était faux, mais je n'avais plus rien à lui dire.

J'ai finalement couché avec une fille, c'était en avant-dernière année de lycée. J'aurais probablement pu le faire plus tôt. L'occasion s'en était présentée, comme avec Eleanor, mais j'avais cette idée, plutôt démodée, que je ne le ferais qu'avec une fille que j'aimerais et qui m'aimerait aussi, ce qui était le cas de Becky. Nous sommes restés ensemble toute la terminale, et la moitié de la première année de fac, où elle est tombée raide dingue d'un autre, que naturellement elle a épousé. J'ai cru bien entendu que je ne m'en remettrais jamais. On croit tant de choses quand on a dix-neuf ans.

Ma mère a continué à vendre, occasionnellement, des MégaVites par téléphone, toujours assise à la table de la cuisine, persuadée que je devais à ma dose quotidienne de ses trucs d'avoir atteint le mètre quatre-vingt-cinq, alors que ni elle ni mon père ne pouvaient être qualifiés de grands.

Tu es la personne la plus grande que j'aie jamais rencontrée, me dit-elle un jour.

Non, en réalité, c'est inexact, ajouta-t-elle.

Aucun de nous deux n'a prononcé le nom de celui auquel elle pensait.

J'avais quitté la maison depuis un certain temps quand ma mère trouva ce que Marjorie appelait un vrai boulot. Qui ne lui rapportait pas plus que de vendre des vitamines, mais qui l'obligeait enfin à sortir de chez elle.

Elle alla se présenter au centre pour personnes âgées de notre ville et leur offrit ses services : enseigner la danse. Fox-trot, valse, pas de deux, swing – danses anciennes qui se pratiquaient en couple, lesquels, par la force des choses, étaient surtout constitués de deux femmes. Ma mère se révéla un très bon professeur, sans compter que dans ces endroits-là, on croise généralement peu de bébés.

Elle devint vite si populaire que ses élèves la prièrent de diriger la totalité de leur programme d'activités. Il

comprenait des séances de travaux manuels et des soirées
de jeux, elle inventait des chasses au trésor parfaitement
loufoques auxquelles même les vieux en fauteuil roulant
pouvaient participer. Ce travail en compagnie de gens du
troisième âge semblait la rajeunir. Parfois, en la regardant
faire une démonstration d'un mouvement de valse ou de
*lindy hop* – toujours aussi mince : elle n'a jamais perdu sa
silhouette –, je retrouvais sur ses traits, fugace, l'expression que je lui avais vue pendant ces quelques jours du
long week-end où Frank Chambers avait vécu avec nous.

# 22

Dix-huit ans ont passé. J'en avais trente et un, perdais ou commençais à perdre mes cheveux, et vivais dans le nord de l'État de New York. Avec ma compagne Amelia, que je comptais épouser à l'automne. Nous avions loué une petite maison donnant sur l'Hudson – si mal isolée que l'hiver, quand le vent soufflait du fleuve, la seule façon de se réchauffer était d'allumer la cheminée et de rester assis devant, enroulés dans une couverture, agrippés l'un à l'autre. Où est le mal? disait Amelia. Pourquoi tu voudrais vivre avec quelqu'un si tu veux pas d'abord te frotter contre lui?

C'était une existence heureuse. Amelia était institutrice au jardin d'enfants et jouait du banjo dans un petit ensemble folk où – quelle surprise! – Richard, mon frère par alliance, tenait la guitare basse acoustique. J'avais terminé depuis quatre ans l'école de cuisine. Je travaillais dans une petite ville proche, comme chef pâtissier d'un restaurant qui commençait à acquérir une certaine renommée. À la fin de l'été, nous irions dans le New Hampshire pour le mariage – juste nos familles et une dizaine d'amis.

L'été précédent, une journaliste de New York, membre de la rédaction d'un magazine de cuisine, cuisine de luxe que seuls peuvent s'offrir les gens qui n'ont jamais le temps de la faire, était venue au restaurant. Son journal semblait se spécialiser dans les reportages sur les soirées que les gens donnent dans leur pommeraie ou sur une île du Maine, voire sur la rive d'un lac du Montana, où les invités pêchent leur propre poisson mais, miraculeusement, comptent une dizaine d'amis dans les environs, tous grands, beaux et si décontractés, qui viennent partager leur repas sur une table dressée au bord de la rivière qui a fourni la truite.

Il s'agissait, en fait, de montrer de superbes photos des produits stupéfiants que les gens font pousser dans leurs fermes biologiques, ou de plats qu'une arrière-arrière-grand-mère sortie de nulle part aurait pu préparer dans un vieux four à bois, grâce à des figurants qui ne ressemblaient ni de près de loin à des grands-parents réels, ni à des gens menant la vie des producteurs de ces produits ou des vrais inventeurs de ces plats.

La journaliste en question vint donc nous voir, et choisit pour recette devant illustrer son article – avec une photo pleine page – celle de ma tarte pêches-framboises.

Certains éléments étaient de mon invention. Le gingembre confit dans la garniture, par exemple, ou l'ajout de framboises fraîches. Mais la pâte, je la devais à Frank. Ou plutôt, ainsi que je l'expliquai dans l'article, à la grand-mère de Frank. De même que le choix, comme ingrédient épaississant, du tapioca instantané plutôt que de la fécule de maïs.

Je n'ai pas raconté, dans les pages du *Nouveau Gourmet*, les circonstances exactes qui m'avaient valu d'acquérir ma technique de la pâte. J'ai simplement dit que c'était un ami qui me l'avait enseignée, qui lui-même l'avait apprise en regardant faire sa grand-mère, dans la ferme qui vendait des sapins de Noël, où il avait grandi. J'avais treize ans, ai-je dit aussi, quand cela s'était passé, et j'ai insisté sur le hasard qui avait voulu qu'on nous offre un panier de pêches fraîches ce jour-là, et sur le défi que représentait la confection d'une pâte à tarte en pleine vague de chaleur.

Il faut conserver les ingrédients au froid.

Il est plus facile d'ajouter de l'eau que d'en retirer. Ne travaillez jamais trop la pâte.

Ne vous laissez pas séduire par tous ces instruments coûteux qu'on vous présente dans les catalogues. La paume de la main est l'instrument parfait pour appliquer une croûte.

Notamment celle du dessus : c'est à ce stade que le pâtissier plonge dans l'inconnu. L'unique chose que vous ne devez jamais faire : hésiter. Laisser tomber la pâte sur les fruits, d'un geste sec, est un acte de foi. Comme de sauter par la fenêtre – douze heures après avoir été opéré en urgence d'une appendicite, par exemple – et de croire que vous allez atterrir sur vos deux pieds.

Après la parution de cet article, j'ai été invité par une télé locale de Syracuse à participer à une émission matinale, en qualité de *Chef de la semaine*, et à faire la démonstration de mes talents. J'ai reçu un nombre étonnant de lettres de lectrices du magazine et de spectatrices de l'émission demandant un avis sur leurs problèmes de pâte. Tout le monde semble en avoir un. Je ne connais pas de mets suscitant d'aussi fortes émotions – de la passion, même – que ce plus humble des desserts : la tarte.

En outre – corroborant ce que Frank m'avait dit –, la plus virulente controverse portait sur le choix de la matière grasse. Une femme, qui avait lu dans l'article du magazine que j'associais beurre et saindoux, m'écrivit pour dénoncer les terribles dangers du saindoux. Une autre émettait les plus grandes réserves quant à l'emploi du beurre.

Cependant le restaurant, La Table de Molly, marchait de mieux en mieux. Nous avons, Amelia et moi, versé de l'argent sur l'achat d'une maison, et j'ai installé des doubles vitrages. Molly m'a demandé d'ouvrir à côté du restaurant une boutique de tartes, et je me suis retrouvé à la tête d'une équipe de cinq pâtissiers, appliquant le cahier des charges que m'avait transmis Frank.

Près d'un an après la publication du fameux article, j'ai reçu un courrier posté d'un endroit inconnu, quelque part dans l'Idaho. L'adresse était rédigée au crayon, et en guise de nom de l'envoyeur il y avait une série de chiffres.

L'enveloppe contenait une lettre, rédigée sur une feuille de carnet réglée, d'une écriture nette mais très petite – comme si l'auteur avait voulu épargner du papier, ce qui était probablement le cas.

Soudain, j'ai compris. Tout m'est revenu, comme une bouffée d'air froid quand vous ouvrez votre porte pendant une tempête de neige, ou d'air chaud quand vous ouvrez celle d'un four à cinq cents degrés pour vérifier la cuisson… d'une tarte – évidemment. Oui, tout m'est revenu.

Près de vingt ans avaient passé, mais je revoyais son visage tel qu'il m'était apparu ce jour-là chez Pricemart – l'ossature de la mâchoire, les joues creuses, les yeux bleus qui fixaient les miens, sans détour. Un personnage intimidant pour le gamin que j'étais – qui mourait d'envie de découvrir ce que contenait, sous l'enveloppe cellophane, ce numéro de *Playboy*, septembre 1987, qui se faisait passer pour un magazine de jeux. Je le revoyais me surplombant de toute sa hauteur – un homme avec de si grandes mains et une voix incroyablement basse. Pourtant, dès cet instant, j'avais perçu que je pouvais lui faire confiance, et même quand la colère et la peur avaient été les plus fortes – peur qu'il emmène ma mère loin de moi, qu'ils me laissent seul, telle une personne déplacée – je n'avais pas vraiment douté qu'il fût un homme juste, un homme de bien.

Vingt ans de silence donc, mais quand j'ai déplié la feuille de papier, j'ai eu le même sentiment que jadis, quand nous étions rentrés du supermarché en voiture, lui assis à l'arrière. Le sentiment que la vie allait changer. Que le monde serait bientôt différent. De si bonnes nouvelles à l'époque. Maintenant, ce que j'éprouvais, c'était de la crainte.

Assis au comptoir de la cuisine du restaurant, au milieu de mes ustensiles, récipients, couteaux, planche à découper, j'entendais sa voix de basse.

*Cher Henry,*
*J'espère que tu te souviendras de moi. Encore qu'il ait*
*peut-être mieux valu pour nous tous que tu m'aies oublié.*
*Nous avons passé ensemble le long week-end du Labor Day,*
*il y a bien longtemps de cela. Les six plus beaux jours de ma*
*vie.*

Parfois, disait-il, des gens donnaient des piles de vieux
magazines à la bibliothèque de la prison où il purgeait sa
peine. C'est ainsi qu'il était tombé sur l'article parlant de
moi et de mes tartes. Avant toute chose, il tenait à me féli-
citer de mon succès, et de la réussite de mes études dans
cette école de cuisine. Lui aussi avait toujours aimé cuisiner, et notamment faire de la pâtisserie. À ce propos, en ce
qui concernait la fabrication des biscuits, il pouvait me
communiquer quelques idées, si cela m'intéressait.
Pour le moment, il était fier et heureux d'apprendre
que je n'avais rien perdu du savoir qu'il m'avait transmis
en des temps reculés.

*L'âge venant, il est agréable de penser qu'on a, quelque*
*part en cours de route, transmis une parcelle de sagesse ou de*
*savoir-faire à quelqu'un. Dans mon cas, n'ayant pas eu d'en-*
*fant à élever, et ayant passé l'essentiel de ma vie adulte dans*
*des établissements pénitentiaires, les occasions de transmettre*
*à des jeunes un savoir quelconque ont été limitées. Je me rap-*
*pelle toutefois certaines séances de lancers de balles entre toi*
*et moi, où tu as montré des capacités plus grandes que tu ne*
*l'imaginais.*

À présent, il avait une question à poser. Mais que, surtout, cela ne bouleverse pas ma vie ou celle de ma famille
– jamais plus – ni ne crée de perturbations supplémentai-
res, du genre de celles que notre brève relation jadis devait
avoir entraînées. La raison pour laquelle c'est à moi qu'il
écrivait, et non à l'être humain que sa question concernait directement, tenait à son souci extrême de ne plus
jamais faire de peine à la personne à qui il souhaitait, plus
qu'à quiconque d'autre sur cette planète, éviter le moindre chagrin.

*Je comprendrais que tu choisisses de ne pas répondre à
cette lettre. Pas besoin de mots, ton silence suffira à me faire
abandonner toute idée de future communication.*

Il allait, le mois prochain, être libéré sur parole. Il
avait eu évidemment tout le temps de réfléchir à ce qu'il
ferait à sa sortie de prison. Bien que la jeunesse soit loin
derrière lui – il venait d'avoir cinquante-huit ans – il était
toujours en bonne santé et possédait encore assez d'énergie pour accomplir de durs travaux. Il espérait trouver à
s'embaucher comme homme à tout faire, ou peintre en
bâtiment, ou – et c'est ce qu'il préférerait – garçon de
ferme, comme dans son enfance. En dehors des jours passés avec nous, ses années à la ferme constituaient ses plus
chers souvenirs.

Une pensée continuait cependant à le hanter. Ce
pourrait être d'ailleurs un soulagement si je lui écrivais
qu'il était stupide et fou, mais il n'avait jamais pu effacer
de son esprit l'image de ma mère. Vraisemblablement elle

s'était remariée et vivait quelque part, loin de la ville où nous nous étions connus. Si c'était le cas – qu'elle fût heureuse et en bonne santé –, il serait heureux lui aussi de le savoir. Il ne l'importunerait jamais, ni ne s'immiscerait dans sa vie. Ma mère avait attendu très longtemps le bonheur qu'elle méritait.

*Mais si le hasard voulait qu'elle soit seule, je te demande si tu penses que je pourrais lui envoyer une lettre. Je te le promets, je préférerais me couper la main que de faire de la peine à Adele.*

Au bas de la page, il précisait son adresse et la date de sa libération. Et il signait : *Sincèrement à toi. Frank Chambers.*

Cet homme avait eu confiance en moi, et je l'avais trahi. En agissant comme je l'avais fait tout au long de ces quelques jours, je l'avais privé de la vie – dix-huit ans de vie – qu'il aurait pu avoir avec ma mère, une femme qui l'aimait.

J'avais aussi trahi ma mère, bien sûr. Les cinq nuits qu'ils avaient passées ensemble Frank et elle constituaient les seules, en plus de vingt ans, où elle avait partagé son lit avec un homme. J'avais cru à l'époque qu'il ne pouvait y avoir rien de pire que de les entendre, dans le noir, faire l'amour. Plus tard j'ai compris : pire était le silence de l'autre côté du mur.

Dans sa lettre, Frank ne disait pas un mot de mon rôle dans son arrestation. Ni des efforts de ma mère pour convaincre les autorités qu'il nous avait ligotés et retenus contre notre gré. Il ne parlait que d'une chose : son désir de la revoir, si elle le voulait.

Je lui ai répondu le jour même qu'il n'était pas difficile de localiser ma mère, encore moins difficile de situer la place qu'il occupait dans son cœur. Elle habitait toujours à la même adresse.

# 23

Le sexe est une drogue, m'avait dit Eleanor. Quand le sexe intervient dans une histoire, les gens perdent complètement la tête. Ils font des choses qu'ils ne feraient jamais autrement. Des choses dingues, ou peut-être dangereuses. Qui peuvent leur briser le cœur, ou celui de quelqu'un d'autre.

Pour Eleanor, peut-être pour le gamin de treize ans que j'étais – allongé sur mon petit lit appuyé au mur derrière lequel se trouvait celui de ma mère, qui faisait l'amour avec Frank –, ce qui s'était passé dans ma famille durant ce long week-end étouffant n'était qu'une histoire de sexe. Pour moi, cet été-là, le sexe présidait à tout, d'une façon ou d'une autre, même si, quand l'occasion s'est présentée de le découvrir – *goûte à la drogue* – j'ai reculé.

La véritable drogue – j'ai fini par m'en convaincre – était l'amour. Un amour exceptionnel, que rien ne pouvait expliquer. Un homme sautait par la fenêtre d'un deuxième étage et courait, ensanglanté, se réfugier dans un supermarché. Une femme l'emmenait chez elle. Deux personnes, chacune empêchée de sortir dans le monde extérieur, qui se créent un monde l'une pour l'autre, derrière les murs trop minces de notre vieille maison jaune. Qui s'accrochent désespérément l'une à l'autre. Durant à peine six jours. Pendant dix-neuf ans, il attend le moment de pouvoir revenir vers elle. Et il lui revient.

Sa condamnation pour assassinat empêchait Frank d'émigrer au Canada, ils sont partis s'installer aussi près que possible de la frontière, dans le Maine. C'est un long trajet en voiture depuis le nord de l'État de New York, rendu encore plus difficile par la présence d'un bébé. Néanmoins, nous l'accomplissons plus souvent qu'on ne l'imaginerait.

Quand notre fille pleure, nous nous garons sur le bas-côté, débouclons sa ceinture de sécurité, et la prenons dans nos bras. Parfois l'endroit où nous nous arrêtons ne s'y prête pas. Une autoroute fédérale, très probablement. Ou bien nous ne sommes qu'à vingt minutes de chez eux – donc, un petit effort, continuez, diriez-vous.

Mais je m'arrête toujours. Ma femme ou moi prenons notre fille dans nos bras. Si d'énormes poids-lourds nous dépassent, nous dévalons le terre-plein, pour nous éloigner un peu du bruit. Ou je lui bouche les oreilles de mes mains. S'il y a de l'herbe, je m'allonge dessus et pose mon bébé contre ma poitrine nue – si c'est l'hiver, je l'enferme à l'intérieur de ma veste, ou lui pose une poignée de neige sur la langue, si c'est la nuit, nous contemplons les étoiles pendant une minute. J'ai découvert qu'en matière de sensations un bébé – qui ne possède ni langage, ni informations, ne connaît rien des lois de la vie – est le plus fiable des juges. Il ne dispose pour appréhender le monde que de ses cinq sens. Serrez-le contre vous, chantez-lui une chanson, montrez-lui le ciel nocturne, une feuille d'arbre qui frissonne, ou un insecte. C'est de cette façon – de cette unique façon – qu'il apprendra le monde : lieu de sécurité et d'amour, ou de cruauté.

Ce que le bébé comprendra, du moins, c'est qu'il n'est pas seul. Et mon expérience m'a enseigné qu'en agissant ainsi – avec lenteur, attention, en suivant les simples instincts de l'amour – vous obtenez un résultat positif. C'est généralement vrai dans le cas des bébés, peut-être dans celui de la majorité des gens. Des chiens aussi. Des hamsters, même. Et des personnes si abîmées par la vie qu'on pourrait croire qu'il n'y a plus d'espoir pour elles sur cette planète, et pourtant si.

Donc je parle à ma fille. Parfois nous dansons. Quand sa respiration retrouve son calme – qu'elle se soit, ou non, endormie – nous la réinstallons dans son siège et poursuivons notre route. Je sais que, quelle que soit l'heure où nous emprunterons le long chemin de terre menant à leur maison, les lumières brilleront et la porte s'ouvrira avant même que nous l'atteignions – ma mère dans l'embrasure, Frank à ses côtés.

Tu as amené le bébé, dira-t-elle.

# Remerciements

Je remercie du fond du cœur la Colonie MacDowell – et tous ceux qui ont contribué à son existence – de procurer l'environnement le plus réconfortant qu'une colonie d'artistes puisse souhaiter rencontrer, et les artistes que j'ai côtoyés à MacDowell et à la Compagnie Yaddo, dont l'amour pour leur travail a nourri le mien.

Je dois beaucoup à Judi Farkas, la première à m'avoir encouragée, qui a remis mon manuscrit entre les mains de celui qui, outre sa foi en moi et son enthousiasme, m'a guidée sur le plan éditorial : mon agent David Kuhn. Ma gratitude et mon profond respect vont aussi à Jennifer Brehl de chez William Morrow – pour son oreille parfaite et son cœur tendre. Et parmi tous les collaborateurs de William Morrow qui ont contribué à l'édition de ce livre – chacun méritant mes remerciements – je distingue l'incomparable Lisa Gallagher. Heureux l'écrivain qui l'a pour éditeur.

Je ne saurais imaginer ma vie d'écrivain sans ma famille d'amis, ces amis – dont beaucoup ne me sont connus qu'à travers leurs lettres – qui sont mes lecteurs de longue date. J'écris en pensant à vous.

Ma fille, l'aînée de mes enfants, Audrey Bethel, m'a aidée à célébrer la naissance de ce livre en grimpant avec moi, le jour de la fête du Travail, au sommet de notre montagne favorite, Monadnock. Enfin, je veux dire mon amour inébranlable pour l'homme dont le soutien et la foi n'ont jamais faibli tout au long de ces douze saisons difficiles : David Schiff.

Cet ouvrage a été achevé d'imprimer
en novembre 2009 dans les ateliers de
Normandie Roto Impressions s.a.s.
61250 Lonrai

N° d'imprimeur : 093885
Dépôt légal : janvier 2010
ISBN : 978-2-84876-155-8
*Imprimé en France*